ANATOMÍA Y FISIOLOGÍA DEL ·TOTALITARISMO

COMENTADO PARA LA REVOLUCIÓN CUBANA

COLECCIÓN CUBA Y SUS JUECES

EDICIONES UNIVERSAL, Miami, Florida, 2005

ARQ. SALVADOR E. SUBIRÁ

ANATOMÍA Y FISIOLOGÍA DEL TOTALITARISMO

COMENTADO PARA LA REVOLUCIÓN CUBANA

...EDICIONES UNIVERSAL

Copyright © 2005 by Salvador E. Subirá

———

Primera edición, 2005

EDICIONES UNIVERSAL
P.O. Box 450353 (Shenandoah Station)
Miami, FL 33245-0353. USA
Tel: (305) 642-3234   Fax: (305) 642-7978
e-mail: ediciones@ediciones.com
http://www.ediciones.com

Library of Congress Catalog Card No.: 2005926774
I.S.B.N.: 1-59388-053-7

Composición de textos: María C. Salvat-Olson

Diseño de la cubierta: Salvador E. Subirá

AGRADECIMIENTO

Agradezco la colaboración recibida de:

Lic. Manuel Barba Cudilleiro,
por la lectura del manuscrito y sugerencias,

Dr. Andrés Cao Mendiguren,
por su juicio del manuscrito e informaciones,

Dr. Santiago Echemendía Orsini
por sus informaciones sobre el tema de la salud,

Ing. Juan Falcón Zammar
por su ayuda técnica.

Dedicado a las jóvenes generaciones de cubanos que desconocen los orígenes de la sociedad en que viven.

Y también a todos los hombres y mujeres de buena voluntad del mundo, y especialmente de Latinoamérica, que están interesados en conocer sobre el advenimiento y desarrollo de la Revolución Cubana.

ÍNDICE

PRÓLOGO

Con paciencia, serenidad e inteligencia Salvador Subirá ha conseguido explicar y trascender la realidad apocalíptica de Cuba y nos ha dejado ver la esperanza de un mañana mejor. Este es un libro para reflexionar y para aprender de las reflexiones. Es esta una obra de ancho cauce por donde fluye, violentamente la mayoria de las veces, apaciblemente las menos, la corriente de nuestra historia contemporánea.

Ha logrado el autor ofrecernos los relatos mas imprescindibles de la historia moderna de Cuba. Lo ha hecho conjugando la síntesis con la claridad. No es este un libro de detalles, sino que nos presenta nuestra historia reciente en un amplio panorama enfocando su visión crítica en los grandes acontecimientos que crearon o modificaron el entonces futuro, hoy largo presente agónico.

En su obra poética publicada hace años, Don Sinsonte de la Palma, Subirá dibujó el alma de Cuba utilizando esos dos símbolos temáticos. Este ensayo es, por así decirlo, la continuación en prosa del verso feliz de Don Sinsonte. Cambia la forma pero se mantiene el espíritu que anima el amor por Cuba del autor. Recordando a Von Clausewitz diríamos que este ensayo es la continuación de la poesía por otros medios.

Este libro transpira la inquietud del autor de terminar una obra antes de que termine el tiempo. Es la misma inquietud que llevó a Subirá a rebelarse contra un gobierno que prometió libertad y justicia para luego engañarnos miserablemente. Es la inquietud alimentada por la suave brisa del Abra, allá en Isla de Pinos, que entraba en la celda de Subirá acariciando los recios barrotes de la ventana carcomidos por el salitre haciéndole pensar y soñar. Este ensayo no se escribió en dos meses, diría yo que se escribió en más de cuatro décadas de maduración e inforturnio, porque resume los ideales, experiencias y anhelos de quien dio lo mejor de sí en aras de su país.

No quiero entrar en descripciones minuciosas de la obra. Le corresponde al lector adentrarse en sus páginas y pensar y repensar en lo que ahí se expone. Quiero sólo decir que esta es una obra indispensable y necesaria para comenzar a desbrozar el camino cerrado de maleza por tantos años de despotismo. Para llegar al claro hacen falta muchos recursos materiales, pero mas que nada, y he ahí unos de los propósitos de este ensayo, hace falta una renovación moral de nuestra sociedad, la que vive aquí y la de allá, pues todos somos cubanos con defectos y virtudes. Para lograr este objetivo el autor se empeña en demitificar nuestra historia, desechar las leyendas, sepultar las consignas que separan y echar a andar con alma ligera por los caminos que nos conducen a un futuro mejor. Creo yo que esto es lo que nos propone Subirá en su libro. Comenzar el camino de la reconstrucción con los pies bien puestos en una historia desnudada de adornos y exageraciones.

Subirá inicia su obra definiendo y describiendo la naturaleza del totalitarismo. Es importante esa explicación porque si algo diferencia las dictaduras tradicionales de, por ejemplo, la castrista es el elemento totalitario que ha aplastado, en todos los sentidos, a los cubanos por tanto tiempo sin dejarles un resquicio para respirar un soplo de libertad, ni alentar la esperanza de una vida mejor. En torno al eje del totalitarismo gira el resto de la obra, escabuyéndose a veces, pero volviendo a aparecer al tocar aspectos de nuestra historia reciente, que parece ya tan lejana, donde el autor quiere contrastar la Cuba de antes de Castro con lo que ha devenido el pais bajo el sistema totalitario actual.

La obra de Subirá es un aporte importante para que aquellos que han crecido en la Cuba actual y han sido desinformados sistemáticamente por el régimen empiecen ahora a darse cuenta del gran fraude que han sido sometidos. Poco tiempo después del Mariel me causó una gran impresión como un joven recién llegado de Cuba se refería a las guerrillas del Escambray como los bandidos del Escambray. Esto es solo un ejemplo de cómo el sistema totalitario ha invadido la mentalidad de las personas al extremo de secuestrar la verdad histórica y convertir a la gente en prisioneros de las consignas totalitarias del régimen.

Para superar el fraude histórico a que ha sido sometido el pueblo de Cuba es necesario esfuerzos como en el que se ha empeñado Salvador Subirá. Y no hay que esperar a mañana, hoy y ahora hace falta que empiecen a llegar a Cuba obras como ésta, para que la verdad histórica se vaya abriendo paso en la mente de los cubanos. El conocimiento de la verdad es el primer paso hacia la liberación.

Este libro nos infunde un sentimiento de esperanza. La descripción de Subirá de lo que era Cuba antes del desastre nos llena de nostalgia y de tristeza. Era un país que marchaba en ritmo ascendente a pesar de los problemas pendientes de resolver. Hay quien dice que todo eso es historia y que es mejor no mirar hacia detrás, que agua pasada no mueve molino. Pero quien sabe si más abajo de la corriente hay un nuevo molino esperando por el agua que ya pasó por el viejo.

Relevo generacional? Renovación moral? Resurrección patriótica? Quién sabe. Lo que sí Subirá nos indica en su obra es que hay un camino que recorrer y un mañana posible para Cuba.

Manuel Barba

TOTALITARISMO Y AUTORITARISMO

D ebemos empezar por establecer bien el significado de dos términos que muchos, equivocadamente, interpretan como sinónimos e intercambian como tales. Estos dos términos se refieren a sistemas de ejercer el poder, y son el autoritarismo y el totalitarismo. Pensamos que la razón de la confusión está en que ambos abusan con la autoridad, lo que es decir que ignoran derechos legítimos de los gobernados y se exceden en el uso del poder para su gestión de gobierno. Esto es característico en los dos sistemas, pero el totalitarismo va mucho más allá que el autoritarismo. En el totalitarismo, no sólo hay exceso en el uso del poder, sino que se va al total acorralamiento de la persona por el control y la manipulación de todas sus necesidades y urgencias vitales a fin de forzar su incorporación a la corriente socio política que el régimen impone. El autoritarismo acepta que los ciudadanos sean políticamente neutrales, pero en el totalitarismo no se reconoce derecho a la neutralidad, se exige el apoyo. El autoritarismo define a un dictador, mientras el totalitarismo implica un tirano. Y el totalitarismo es el tema que vamos a tratar.

TOTALITARISMO VS. DEMOCRACIA

El totalitarismo y la democracia son dos sistemas de gobierno que albergan grandes e insuperables diferencias. Cada uno de ellos representa fielmente lo opuesto del otro. Pero muchos, que no han tenido una experiencia de primera mano en un país totalitario, no pueden comprender la degradación que sufre la persona expuesta a esa situación. Por ello creemos conveniente empezar por contrastar los dos sistemas para que el lector pueda tener una vivencia de lo que es la vida dentro de un país sometido al totalitarismo.

El poder absoluto del totalitarismo nunca surge del derecho y la legalidad, sino como subversión de ambos ▪ *La democracia siempre surge del derecho y de la ley, y está comprometida al mantenimiento de ambos.*

En el totalitarismo el poder supremo se designa a sí mismo y de hecho se proclama como destinado y providencial ▪ *En la democracia el poder central sabe que la ciudadanía lo ha elegido para regir el país, y que es sólo un capítulo en la historia de su país.*

El totalitarismo siempre llega a fundar una nueva era que asegura será de «justicia» e «igualdad», por lo que necesita demoler todo el orden existente ▪ *La democracia por su parte no destruye, sino que enmienda errores, ofrece y promueve nuevos desarrollos, elabora la igualdad de oportunidades, sostiene la solidaridad y garantiza la libertad y los derechos humanos.*

Para el totalitarismo el poder es posesión absoluta del país y de la ciudadanía, por lo que se yergue sobre los ciudadanos y les reclama el sacrificio de todos sus derechos humanos ▪ *Para la democracia el poder es sólo un servicio al país y a la ciudadanía, que se ejerce a través de un poder temporal delegado y que está comprometido con el respeto y defensa de los derechos humanos.*

El totalitarismo fomenta la escisión social de clases para destruir la solidaridad y poder alcanzar y sostener el poder ▪ *La democracia elabora y mantiene la solidaridad como medio para lograr todo tipo de desarrollo.*

El totalitarismo siempre centraliza la administración en un poder ejecutivo que no reconoce ni permite la autonomía de otros poderes ▪ *En la democracia el gobierno central está separado en poderes autónomos que dan balance a la acción del gobierno, y también se reconoce cierta autonomía en los niveles inferiores de gobierno.*

El totalitarismo crea organismos puramente formales y sin capacidad de decisión, que sirven para trasmitir y controlar la ejecución de las directrices centrales, y también para poder presentarse como una sociedad organizada ▪ *La democracia no sólo fomenta y respeta el más amplio desarrollo de la sociedad civil, sino que favorece su interacción para lograr realizar el bien común.*

El totalitarismo se siente con derecho a detentar el poder por tiempo indefinido ▪ *En la democracia se sabe que el partido gobernante sólo dispone de un período de tiempo predeterminado, y después del cual debe acudir nuevamente a competir en una elección por el favor de su ciudadanía.*

En el totalitarismo toda expresión política está limitada a lo que determina un partido único que expresa la opinión oficial ▪ *En la democracia se reconoce y respeta el derecho a la pluralidad de opiniones y de partidos.*

En el totalitarismo no se respeta la privacidad del individuo que debe aceptar la manipulación permanente. ▪ *En una democracia la administración trabaja para proveer una sociedad estable que permita al individuo la mayor privacidad posible.*

En el totalitarismo no se respeta a los que disienten de la política oficial ▪ *En la democracia gobierna la mayoría, pero también se respeta a las minorías.*

El totalitarismo deshumaniza a la persona por la coacción de su expresión propia y conminándola a que asuma, o finja, la adhesión y reverencia del ente abstracto que llaman revolución ▪ *La democracia elabora el contexto democrático con el tejido de todas las expresiones que se manifiestan en libertad.*

El totalitarismo condena todo el pasado como un abominable crimen global ▪ *La democracia se apoya en la experiencia de ese pasado para proyectarse hacia el futuro.*

El totalitarismo destruye todos los valores tradicionales aprendidos en la cotidianidad de la vida, la historia y la cultura, y los sustituye por otros sin raíces ▪ *La democracia reconoce el valor de estos y los mantiene como cimiento de su edificación social.*

El totalitarismo tiene su principal fuente de energía en la denuncia de una hostilidad externa que lo asecha ▪ *La democracia crea lazos amistosos con todas las naciones en busca de las mejores relaciones y vías para el desarrollo de su país.*

El totalitarismo nunca tiene voluntad de cambio ▪ *Sin embargo la democracia está abierta al cambio con cada elección.*

El totalitarismo sólo es eficiente y rápido para lograr los objetivos que interesan al poder, lo que es fácil de explicar por el control que ejerce sobre todos los medios, pero es sumamente ineficiente en el conjunto de objetivos que interesan a los ciudadanos. Y es porque el poder central, al controlarlo todo, se convierte en un obstáculo que malogra todo el esfuerzo nacional ▪ *La democracia sí labora por los objetivos que interesan a los ciudadanos, y lo hace aprovechando y combinando los esfuerzos de todos los miembros de la sociedad, lo que hace que obtenga mayores y mejores resultados, que aunque más lentos son también más perdurables.*

Para resumir puede decirse que el totalitarismo es regresivo a etapas primarias del desarrollo social humano, mientras la democracia, en todas sus formas, es el mejor resultado de la larga experiencia social humana.

Como se demuestra, ambos sistemas, no sólo son diferentes sino también inconciliables. No obstante han alternado en la historia contemporánea. Y justo es reconocer que los tránsitos de uno al otro sistema siempre conllevan grandes traumas sociales y humanos. Los cambios que se requieren son muy complejos porque ambas formas tienen que crear y desarrollar las instituciones en que se apoyan, y por ello siempre ha de hablarse de un proceso de cambio, o lo que mejor sería llamar, una transición.

Los motivos para que ocurra una transición en una sociedad varían. Por ejemplo, el totalitarismo no llega porque se reniegue de los principios democráticos, sino por la opinión mayoritaria de que los líderes e instituciones existentes son incapaces para resolver los problemas del país. Y el retorno de la democracia está determinado por el fracaso global (político, económico y social) de la sociedad totalitaria y el agotamiento del discurso mesiánico que la ha animado.

Claro que el tránsito hacia el totalitarismo siempre es más fácil porque las acciones *de facto* con que se funda un totalitarismo son más inmediatas y efectivas que las *de jure* con que se defiende una democracia. Es lógico que la destrucción requiere menos esfuerzo que la construcción. Y destrucción es lo que ejerce el totalitarismo, porque precisamente, nace como negación del orden existente.

Para compensar el gran vacío que provoca, el totalitarismo se define y justifica a sí mismo con apelaciones a valores y emociones sociales profundas que legitimen su advenimiento irregular. En países de larga historia y población homogénea lo han realizado por la exaltación de la raza. En países de atrasado desarrollo social lo han hecho como reivindicación de las clases explotadas y para la instauración de una utopía igualitaria. En países pequeños, de más reciente origen y con diversidad racial, se han declarado herederos históricos y fieles representantes de los ideales que motivaron a los fundadores de sus respectivos países, y ser luchadores para el logro de una soberanía total y definitiva. Este tema de la soberanía es aludido constantemente y esgrimido como una droga política para enajenar a sus ciudadanos con el fin de lograr los fines del poder. Siempre condenan globalmente el sistema social anterior con todo tipo de improperios, agobiándolo de lacras, y llegando hasta la propagación de falsedades, porque ello contribuye a excusar sus propios desmanes y a ser visto como instrumento de salvación para el país. Con estas tácticas, ellos entienden que adquieren toda la libertad para reinterpretar el resto de la historia a la medida de su conveniencia, y construirle un arco de triunfo a su propio advenimiento.

El totalitarismo, cuando toma posesión de un país, siempre trae la intención de rebasar sus fronteras. Puede pensarse que lo hace por instinto de conservación en busca de apoyo internacional, pero pronto queda demostrado que lo hace por entender que su mesianismo no cabe en las dimensiones geográficas del país que le sirve como base de operaciones, y que merece un espacio político mayor. Al principio su discurso lo proclama con idealismos y generalidades, pero muy pronto sus acciones lo ejecutan de forma ilegal y encubierta, que más tarde se vuelve desafiante.

El totalitarismo siempre llega para quedarse, porque ellos mismos se proclaman como la solución definitiva. No importa que el camino para cumplir su compromiso original sea incierto y cruelmente interminable. Sus dirigentes se siguen proclamando siempre como profetas en camino hacia una tierra prometida, sin reconocer que sus motivos son el poder propio y la ambición desmedida, y que nunca quedarán satisfechos.

Pero a pesar de su estilo rudo, sus crímenes ocultos y las turbias intenciones emboscadas en todas sus gestiones, los totalitarios no renuncian a vestirse de limpio con ropajes de prestigio. Aunque la realidad grite atronadoramente que no hay libertad, ni democracia, ellos se dicen gobernar los pueblos más libres y las democracias más perfectas. Aunque nunca haya una consulta popular para obtener la representación de la soberanía nacional, el totalitario se roba esa representación para esgrimirla y defenderse en todas las vitrinas políticas internacionales. Cuando el análisis lógico de sus acciones llega a un callejón sin salida y de inconsecuencias, el totalitario decide que es tiempo de desautorizar al idioma y sus significados establecidos, o de destronar el reconocimiento universal del método aristotélico para establecer una conclusión.

El totalitarismo, sometiendo la realidad socio política del país a una temperatura elevada, logra fundir todos los conceptos e instancias en una sola abstracción, aunque dotada de muchas fachadas. Y estas fachadas son las que luego le permiten mostrarse con el rostro que mejor conviene a cada momento de su gestión totalitaria.

Aunque la agenda que nos hemos propuesto es la transición a la democracia, hemos querido trazar un mapa de las dificultades que han de afrontarse para deshacer el camino de desastre que siempre deja atrás un régimen totalitario.

EL FENÓMENO DEL TOTALITARISMO

Apartándonos ahora de sus características, pasemos a analizar el totalitarismo como un fenómeno político y social. Y empecemos por decir que toda fundación totalitaria requiere de cuatro factores que la hacen posible, y son: 1-la existencia de una crisis en la democracia, 2-la aparición de un caudillo carismático, 3- la oportunidad de una coyuntura histórica y 4- el ideal de una utopía. Puede analizarse como estos cuatro factores se repiten en todo proceso totalitario, y para mayor claridad, queremos ilustrarlo a través del ejemplo cubano.

LA CRISIS EN LA DEMOCRACIA

La democracia cubana podía mostrar muchos logros económicos y sociales pero la realidad es que tuvo una gran crisis. Aunque se habían cumplido casi tres períodos democráticos en sucesión, existía una parte del ejército que albergaba una simpatía y añoranza por la vigencia de Fulgencio Batista durante la década de los años treinta. En fin de cuentas, el 4 de Septiembre, una Junta Cívico Militar había dado un giro político al país que, entre otras cosas, trajo un desbande del ejército existente y la fundación de un ejército renovado. Esto se logró mediante el ascenso de muchos militares a grados superiores que a partir de entonces creían más en los cambios de facto que en la democracia. Todo lo cual resultaba ser muy riesgoso.

En el ámbito político existían diversos partidos políticos. Algunos eran volátiles como los intereses momentáneos que los creaban. Pero también se crearon partidos políticos mayores con amplios programas progresistas, y que desde el poder, crearon importantes instituciones necesarias para darle solidez a la república. Durante esos tres períodos el pueblo disfrutó de un verdadero régimen de libertades, floreció la prensa y se promulgaron leyes sociales avanzadas y de gran beneficio para la clase obrera. Puede decirse que la clase media creció y se consolidó como el sector que definía los resultados electorales del país. Desafortunadamente, el debate político entre partidos siempre traía a colación acusaciones de corrupción, malversación y peculado típicas de la lucha por el poder en toda Latinoamérica, y aún en el mundo desarrollado, pero que pocas veces podían ser demostradas. Sin embargo el debate se fue radicalizando y subiendo el tono de las acusaciones, hasta un punto irresponsable que llegó a minar la credibilidad de los partidos y sus dirigentes ante la opinión pública. No era extraño escuchar al pueblo sencillo manifestar que la profesión de político no era para ser ejercida por personas decentes. Mas a pesar de todo lo anterior la economía marchaba, la moneda cubana era sólida, la industrialización avanzaba, la asignación de fondos para la educación era elevada y producía profesionales de primera línea, el sindicalismo tuvo un amplio desarrollo con muchos logros para la clase trabajadora, los índices de consumo y de servicios eran altos, aún cuando se los comparaba con los de países más desarrollados que Cuba, y el país iba adquiriendo prestigio en los foros internacionales.

Esto no quiere significar que Cuba fuese un paraíso de perfecciones. Había desniveles sociales que requerían atención. Prueba de ello fueron los resultados de una encuesta realizada por estudiantes universitarios sobre el nivel de vida del trabajador agrícola cubano. Los resultados demostraban cuestiones que reclamaban acción inmediata y una solución gubernamental. Pero el mero hecho de realizarse esta encuesta demostraba la voluntad de conocer y la intención de corregir aquellas desigualdades. En parte todo esto ocurría porque era una república joven de 50 años de existencia, que había heredado una situación colonial, con poca densidad demográfica, con economía histórica basada en el monocultivo de la caña de azúcar, con diversidad racial, y cuya civilidad aún no había tenido tiempo para asentarse y desarrollarse en todo el territorio nacional, ni explotar con efectividad todos los recursos naturales del país. Tampoco se habían podido desarrollar todas las comunicaciones necesarias ni afinar los engranajes económicos. Pero Cuba era un país que creía en su futuro y en el que todo reclamo justo sabía que podría encontrar un camino para su solución.

Las elecciones siempre son un momento de esperanza por la expectativa de un nuevo gobierno que tendrá que realizar una buena labor si es que quiere ganar la próxima elección. Fue en ese preciso momento, y en ese ambiente, que Fulgencio Batista escogió, con un grupo de militares afines, para destruir toda la mecánica democrática del país. Lo hizo argumentando la corrupción del gobierno depuesto, pero la realidad es que se estaba a sólo semanas de unas elecciones presidenciales donde había candidatos honestos, capacitados y de prestigio. Como era de esperar, el golpista enseguida reajustó los mandos del ejército, concedió ascensos para consolidar su posición y promulgó unos estatutos para regir bajo su mandato.

Es obvio que el sorprendido pueblo cubano, acostumbrado a las libertades anteriores, y por haber estado en vísperas de una consulta popular, se sintió burlado por aquella violación de su orden constitucional. De momento no hubo grandes reacciones más allá de la condena pública, porque el dictador logró el apoyo de todos los cuerpos armados. Pero los partidos políticos mayoritarios y el pueblo pronto comenzarían un proceso ascendente de oposición, que tras agotar los medios políticos, llegaría a una guerra abierta y sin cuartel.

Mientras tanto Batista se fue aprovechando de cuanta complicidad oportunista se le ofrecía para estabilizar su régimen, recompensándolas con depredaciones al erario. La corrupción fue alcanzando niveles nunca vistos y no sólo beneficiaba a los miembros de los cuerpos armados sino también a políticos, periodistas e intelectuales. Entonces intentó legitimarse con un amplio programa de obras públicas, con el nombramiento de funcionarios capaces que implantaron políticas económicas acertadas, y finalmente convocando a dos procesos eleccionarios. Pero los partidos y el pueblo no se dejaron conquistar, estimaron que no se podía confiar en la honestidad y legalidad de aquellas elecciones, y en gran parte fueron al abstencionismo. No cabe duda que un país en las condiciones que acabamos de describir estaba padeciendo una verdadera crisis democrática. Y esta crisis fue la que abrió la puerta para los eventos posteriores.

EL CAUDILLO

Por otra parte, el caudillo se había venido incubando. No llegaba por un camino institucional, aunque lo intentó sin resultados. Así fue cuando trató por todos los medios de intervenir en la política estudiantil universitaria con vistas a lograr su elección como presidente de su Facultad, y mediante ello, poder aspirar posteriormente al cargo de presidente de la Federación Estudiantil Universitaria (FEU). Esta posición le hubiera servido de trampolín para ingresar a la política nacional reconocida del país. Pero vio frustrada su ambición por dichos cargos a causa del extremo rechazo que le profesaba el estudiantado. Se asoció entonces con grupos armados de activismo político gansteril que actuaban en el medio cubano, y que a veces se proyectaban internacionalmente, como fue el caso en el llamado Bogotazo de Colombia. Pero tampoco esta actividad violenta le rindió los dividendos políticos que ambicionaba, mas sí le sirvió para ser más conocido. La fallida expedición de Cayo Confites para derrocar a Rafael Leónidas Trujillo fue otra aventura inconclusa para su pedigree. Para Fidel Castro llegar al poder no era una aspiración humana sino una obsesión, y ello se notaba enseguida que se lo trataba. Entonces decidió una recurva a lo institucional y se incorporó al Partido Ortodoxo, donde a pesar de la desconfianza de muchos líderes, logró ser postulado para representante en el Congreso. Fueron esas las elecciones que se malograron por la asonada de Batista, y Castro quedó nuevamente frustrado. Pero esta misma dictadura habría de proveerle la oportunidad de buscar su objetivo a través de las armas, lo que nunca hubiera sido aceptable en contra de un gobierno democrático. Muy pronto, como él no estaba dispuesto a renunciar a sus planes, intentó una nueva vía para alcanzar el poder. Se propuso y logró convencer y organizar a un grupo de jóvenes idealistas para una acción, que supuestamente, pudiera traer el fin del régimen militar que se había apoderado del gobierno del país.

El que Castro pudiera complotar a este grupo de jóvenes para una acción de envergadura, sin definirles que se trataba del ataque a la segunda guarnición del país, y de resultado tan dudoso además, demuestra el ambiente de rechazo radical que ya existía en algunos sectores del país. Pero además demuestra el poder de impresionar y seducir que tenía Fidel Castro, y que ha seguido ejerciendo sobre sus interlocutores hasta el día de hoy. La acción del Cuartel Moncada fue extremadamente ambiciosa, sangrienta y poco justificable, pero no se puede desmerecer el valor de quienes participaron en la misma. De hecho fue la primera acción armada en contra del régimen de Batista, que luego sirvió como referencia para la lucha del Movimiento 26 de Julio. Mas ahora queremos anotar una característica de la lucha de

Fidel Castro que comenzó en el asalto al Cuartel Moncada, continuó hasta su llegada a La Habana en 1959 y aún la ejerce en sus momentos de crisis.

La lucha que se había planteado era para la recuperación del orden democrático definido por la Constitución de 1940. Así lo manifestaban todos los líderes desde las primeras protestas, y esa fue la lucha que prendió en el pueblo cubano. Nadie pensaba que aquella contienda pudiese tener emboscada una intención diferente. Los líderes de las acciones armadas se lanzaron generosa y heroicamente al combate, exponiendo su propia vida al sacrificio máximo, por los fines obvios de regresar al régimen de derecho y a la democracia. No cabe duda que lo hicieron imbuidos por el sentido de una frase de nuestro Himno Nacional Cubano, que proclama que el «morir por la patria es vivir». Demasiados murieron en esos empeños: Reynold García, José Antonio Echeverría, Menelao Mora, Fructuoso Rodríguez, Frank País, los atacantes al Moncada que murieron en la acción, y otros.

Pero no fue así con Fidel Castro. Él no luchaba desinteresadamente por la democracia que todos querían, sino por su meta personal de obtener el poder. Y si esa era la meta, no tenía ningún sentido que se arriesgara a perder su vida en esa lucha. Desde muchos años atrás Castro había ido desarrollando una forma astuta de escatimar sus propios riesgos a costa de sacrificar a jóvenes idealistas para que le lograran su beneficio político y los fines que él perseguía. Ello caracterizó todas las etapas de su lucha, y después lo ha seguido demostrando durante su medio siglo de tiranía.

Con el jubiloso triunfo de la revolución todos esperaban una normalización democrática del país. Pero muy pronto se hizo evidente que los hechos no llevaban ese rumbo y que habría que luchar de nuevo. Y es por ello que los revolucionarios de la primera hornada de oposición a la comunización del país proclamaron que reiniciaban la lucha a causa de una traición a la voluntad y los sacrificios del pueblo cubano, y tenían la razón.

LA COYUNTURA HISTORICA

La coyuntura se fue formando gradualmente por la concurrencia de hechos desde diversas vertientes. El primero, y más importante, fue la tozudez de Batista en negarse a cualquier tipo de solución para que la república pudiese regresar a la Constitución y la democracia. No fueron pocas las oportunidades que se le ofrecieron a través de distintas propuestas políticas, pero las desperdició todas. La más lógica y airosa hubiera sido la elección de 1954, pero con la postulación del propio dictador para la primera magistratura del país quedaba demostrado que sólo se convocaban para legitimar y alargar la permanencia del golpista en el poder. Pero hubo otras iniciativas como fueron el Movimiento de la Nación, el Pacto de Montreal, la Sociedad de Amigos de la República con su Diálogo Cívico, y finalmente el mítin de la Plazoleta del Muelle de Luz. Ninguna de ellas le interesó a Batista que se sentía en control del país y no aceptaba nada que pudiera terminar o disminuir su poder. Con ello el pueblo iba perdiendo la esperanza en una solución incruenta y reforzando su sospecha de que no había otra solución que la armada.

Los partidos políticos y las fuerzas armadas son las instituciones destinadas a salvaguardar el régimen de derecho y la democracia de un país, pero en el caso cubano ambas instituciones fallaron. Los partidos políticos no se sintieron fuertes para enfrentarse a un golpe que logró controlar todos los cuerpos armados, y luego fueron a la abstención en las elecciones amañadas que se convocaron para elegir un nuevo Congreso, por la certeza de que el dictador las amañaría para que los resultados fuesen favorables a sus intereses. En realidad los partidos ofrecían un triste aspecto de impotencia, y posteriormente muchos de sus miembros fueron pasando a los grupos de la lucha armada. Y es claro que esta situación de deslucida ausencia política colaboró a la coyuntura para el advenimiento del totalitarismo.

Las fuerzas armadas remodeladas nuevamente por Batista, con profusos ascensos de elementos que le eran afectos, perdieron su carácter de ejército nacional para la defensa del país y sus instituciones, y se convirtieron en la tropa de Batista. Gran parte de sus miembros se aprovecharon de la situación de poder y comenzaron a enriquecerse con extorsiones a los comerciantes, con concesiones para el juego ilegal, y permitiendo todo tipo de corrupción a cambio de beneficios. Y esto a todos los niveles, desde el dictador Batista hasta el policía de cuadra. El pueblo comenzó a tener la percepción de que las fuerzas armadas no eran para defenderlo sino para explotarlo. Encontrarse con un policía era motivo de preocupación, y esto generó que los éxitos de quienes luchaban en la clandestinidad para deponer al régimen pronto fueran vistos con simpatía. Pero tanta corrupción fue resquebrajando la moral de los institutos armados y su principio de autoridad. La corrupción de los altos mandos llegó a permitir el tránsito de las tropas guerrilleras opositoras de una provincia a otra a cambio de dinero. Si triste fue la situación de los partidos políticos, la de los cuerpos armados fue execrable y vergonzosa, primero por haber apoyado el golpe, y segundo por exponer al país a un vacío de poder que permitió la llegada de un totalitarismo.

Un último aspecto coyuntural fue la desaparición progresiva de los otros líderes que habían luchado en descubierto y con valentía, a quienes se le reconocía la capacidad y el prestigio, y que contaban con la confianza del pueblo para detentar el poder y restablecer la democracia. El sacrificio generoso de estas vidas encomiables vino así a beneficiar a quien sólo luchaba por su poder y se reservaba para el día de la victoria.

LA UTOPÍA

La utopía es muy importante porque ella siempre ofrece un tiempo definitivo, sin los capítulos sucesivos en que se basa la democracia.

La caída del régimen de Batista fue un relámpago en la oscura noche que vivía el país. El dictador unió la despedida del año 1958 con su adiós definitivo a la república y se fue a aterrizar en el feudo del desprestigiado Trujillo. Como Batista había improvisado nuevos mandos y mantenía su lealtad con prebendas, era lógico que en él se resumiera toda la autoridad militar. Por eso la huida del dictador desmoralizó a sus fuerzas armadas, más de lo que ya lo estaban por la corrupción, y por ello resultaron fáciles de desbandar.

Por su parte, al clandestinaje y a los grupos armados, se le abrieron los cielos al saber que a aquella tragedia cubana se le eliminaba de repente un acto final que se anticipaba desgarrador. El balance de muerte y terror había sido muy elevado y venía dejando hondas cicatrices en la sociedad cubana. Mas para la alegría de todos, y súbitamente, llegaba el regalo de una nueva y misteriosa aurora.

La generalidad de la población aguardaba este día con impaciencia y lo recibió con una gran ilusión. Para ello ayudaba la forma, casi novelesca, en que se produjeron los hechos. También que coincidieran con el tránsito de un año a otro, como si un simple pase de hoja en el calendario, fuera a definir una nueva etapa nacional. Todos esperaban que no sólo se recuperaría la libertad de expresión y los derechos, sino que además se cumplirían sus más íntimas aspiraciones.

En ese terreno emocionalmente frágil el nuevo régimen se dispuso a sembrar sus ideas y programas. Y lo hizo con lo más demagógico del repertorio populista. Lo inició con una exaltación del nacionalismo que pronto derivó en denuncia de que la soberanía cubana había sido violada consistentemente por los E.E.U.U.. Se pasaba por alto que la república anterior había tenido diferendos con sus vecinos del Norte que habían sido resueltos favorablemente para nuestro país. Cuba había sido un país beneficiado con numerosas inversiones de capital norteamericano que nos habían provisto adelantos tecnológicos y muchas plazas de trabajo calificado, pero el nuevo régimen no vaciló en desarrollar un discurso acusatorio de que nuestro pueblo siempre había estado explotado por ese imperialismo económico. Y a pesar de que, en los primeros meses, los E.E.U.U. sólo observaban y analizaban los acontecimientos de la isla, como atestiguó la entrevista de Nixon con Castro, el régimen cubano ya se adelantaba a denunciar la inminencia de una invasión extranjera que exigía la militarización del país, y convirtió al país del Norte en la referencia obligada para todos los males y deficiencias que experimentaban los cubanos.

Se condenó al pasado de la república como un tiempo perverso que ahora la revolución tenía que redimir eliminándolo, y se la proclamó como república mediatizada. Se reveló que los empresarios nacionales también tenían culpa por enriquecerse a costa de las clases trabajadoras, porque la explotación (léase el empleo o la contratación) del hombre por el hombre era «inmoral». Por ello, y como un acto de justicia absoluta, se proclamó la igualdad demagógica y rasante de todos los ciudadanos, ésto no sólo en el lógico terreno de los derechos y las oportunidades, sino también en todos los demás aspectos de la vida. Producto de ello fue la imposición de una libreta de abastecimientos para que todos recibieran lo mismo, y se redujo grandemente el pago de rentas para la vivienda porque, según se dijo, ello constituía una de las peores formas de explotación. Y mediante todas estas «liberaciones» se prometía que el país podría construir una nueva sociedad igualitaria y feliz. Pero no sólo se aspiraba a esto para Cuba, sino que también se lucharía para que los demás pueblos de América Latina y del mundo, también pudieran lograr esta «igualdad y justicia». Todo lo relatado anteriormente fue un proceso recorrido en pocos meses, y como se ve ya definían una utopía coincidente con la sociedad comunista anunciada por Carlos Marx.

El gran desarrollo de los medios de comunicación que se había logrado en Cuba, especialmente la televisión, benefició mucho al gobierno revolucionario a su llegada al poder. Desde los primeros meses el régimen los controló y esto le ayudó mucho a diseminar sus ideas y motivar la adhesión de grandes sectores ingenuos de la población, entre los cuales había muchos que habían sufrido algún tipo de discriminación, idealistas sin experiencia, gente sencilla con la esperanza de mejorar su situación, profesionales con inquietudes sociales, pero también muchos oportunistas.

* * *

HASTA AQUÍ NOS HEMOS LIMITADO A EXPONER LOS FACTORES QUE CONCURREN PARA HACER POSIBLE LA APARICIÓN DE UN RÉGIMEN TOTALITARIO, Y COMO UN EJEMPLO, LOS HEMOS IDENTIFICADO DENTRO DEL PROCESO TOTALITARIO CUBANO.

PERO EN ADICIÓN AL ANÁLISIS TEÓRICO, HAY OTRO QUE REALIZAR, Y ES EL ANÁLISIS DE LAS TÁCTICAS A TRAVÉS DE LAS CUALES SE GESTÓ Y CULMINÓ EL PROCESO EN LA REALIDAD. CREEMOS QUE ESTE DESARROLLO ES LA CONTINUACIÓN LÓGICA DE LO QUE SE VA EXPONIENDO, Y POR ELLO VAMOS A CONTINUAR DESARROLLANDO LO QUE OCURRIÓ EN LOS PRIMEROS TIEMPOS DEL PROCESO, DESDE LA LLEGADA DEL PODER REVOLUCIONARIO QUE LLENÓ A TODOS DE ESPERANZA PARA LA RECUPERACIÓN DEL ORDEN DEMOCRÁTICO, HASTA LA CONSUMACIÓN DEL FRAUDE POLÍTICO QUE DEJÓ A TODO EL PAÍS PRISIONERO EN EL TOTALITARISMO.

* * *

IMPLANTACIÓN DEL
TOTALITARISMO CUBANO

Los cubanos se creían inmunes al comunismo. También era así para los pueblos de América Latina. Era tan burda la imagen del comunismo para el mundo occidental que no se creía que pudiera seducir a nadie. En fin de cuentas el comunismo era un fenómeno que había podido triunfar en países sin tradición democrática, o bajo la ocupación de un ejército comunista. Pero se tenía como indiscutible el que América estaba exenta por el civilismo fundacional de sus repúblicas, continuado por dos siglos de ejercicio democrático, aunque salpicado de algunas dictaduras. Además estaba la presencia de E.E.U.U. que en plena guerra fría no aceptaría ese intrusismo ideológico en nuestro continente. Hasta que llegó Fidel Castro para demostrar lo contrario.

Se sabía que el comunismo aspiraba a subvertir las democracias occidentales para expandir su sistema y así lograr el control político del mundo. Incluso se conocía que en todos los países del hemisferio había grupos comunistas tolerados por la apertura que caracteriza a la democracia, mas no eran motivo de preocupación mayor. Se suponía que los sentimientos anticomunistas generalizados del pueblo eran suficiente coraza. Sin embargo se pensaba así porque no se había visto de cerca el proceso de instauración de un régimen comunista.

También es oportuno decir que el Comunismo Internacional tenía un especial interés por Cuba, y la había hecho objeto prioritario de su subversión. Para ello, y con muchos años de anticipación, había enviado a residir y actuar en la isla a importantes figuras de su activismo internacional. Mas por la clandestinidad de estas actividades no es fácil demostrar esta afirmación, pero ello aparece claramente de la lectura del contexto político cubano a partir de 1920.

Aunque el comunismo tiene principios teóricos, su verdadera fuerza no radica en lo racional, sino en la manipulación de las emociones individuales y sociales. A su llegada al poder todo régimen comunista provoca una amplia fermentación social para subvertir las instituciones y destruir la solidaridad, de modo que desaparezca la sociedad existente y dé lugar a la nueva de su conveniencia. Es su método infalible. Para ello se pronuncia en pro de aspiraciones válidas, justas y legítimas, pero las envuelve con una invectiva de la sociedad que le precedió, exagerándole la corrupción que siempre existe, exacerbando las carencias, designando culpable para todas las frustraciones, dignificando las envidias, a través de lo cual engaña a los sencillos, seduce a los ambiciosos y atrae a los oportunistas. Obviamente todo ello resquebraja la convivencia, desintegra la sociedad que encuentra, destruye la moral social, y deja libre el terreno para la nueva edificación totalitaria.

La llegada al poder de un régimen comunista siempre se atribuye al trabajo y la audacia de una vanguardia política. Pero la realidad es más compleja, porque esa vanguardia no podría lograr su objetivo sin la inacción y pasividad del resto de la sociedad en que actúa. En realidad debe entenderse que el comunismo es una enfermedad social de la que participan todos los miembros de esa sociedad, ya sea por **acción** o por **omisión**. Entre los que participan por **acción**, aparte de la vanguardia, está el grupo de quienes apoyan el proceso, que lo hacen con honestidad y creencia de que se logrará una sociedad mejor; ellos no tienen una participación directa en los hechos, pero contribuyen al crecimiento de una opinión pública favorable y que aporta estabilidad al proceso. Pero además existen los afiebrados que hacen de su militancia una religión, los suicidas que renuncian voluntariamente a sus derechos individuales, los idealistas que se proyectan enamorados de las palabras sin analizar las acciones, los engañados de buena fe que poco a poco se van dejando acorralar en el compromiso, los frustrados que desean y ven la oportunidad de una venganza, los envidiosos que necesitan la desventura de otros, los ambiciosos que buscan lograr sus objetivos a toda costa, y los oportunistas que siempre están en la búsqueda de escalones para trepar. Y entre quienes colaboran por **omisión**, están los que entienden que su única obligación con la democracia es depositar un voto periódicamente, los que eligen con poco o ningún análisis, los que se dejan dominar por el miedo, los indiferentes que se dejan usar como instrumentos del crimen, los que confían en que las cosas van a cambiar por sí solas, y los que esperan que otros vendrán a resolver sus problemas. Todo este conjunto configura una sociedad que poco a poco se va adentrando en una infelicidad sin retorno. Pero pasemos a los hechos concretos que determinaron la comunización de Cuba.

Los últimos años de Batista se caracterizaron por una subversión y una represión crecientes. Toda la ciudadanía podía sentir sobre sí los efectos de ambas, los de la violencia revolucionaria y los de la represión oficial, que convertían la vida en una ansiedad permanente. La violencia revolucionaria actuaba en diversas formas, a través de acciones militares limitadas, realizando sabotajes y ejerciendo un terrorismo revolucionario, con los que buscaba influir en el ánimo de la población para un cambio político. La represión oficial sentía que iba perdiendo terreno en el control del país y que su lucha se iba convirtiendo en una retirada. Este sentimiento de acercamiento a un final desesperaba a sus agentes, potenciaba su corrupción y ampliaba el círculo de sus desmanes. Con todo lo cual no quedaba espacio para vivir en paz y desarrollar la vida.

La huída de Batista, no por esperada fue menos sorpresiva, y el país experimentó un vacío de poder que no podían llenar ni las fuerzas armadas ni los maltrechos partidos políticos. La ciudadanía comprendió entonces que su única opción eran los organismos revolucionarios que habían desarrollado la lucha. Fundamentalmente, había tres de ellos que contaban con el respeto del país: el Movimiento 26 de Julio, el Directorio Revolucionario y el Segundo Frente del Escambray, y podía esperarse que hubiera una coordinación de los mismos para constituir un gobierno provisional que crease las condiciones y convocase a las elecciones generales prometidas. Así se podría regresar al orden democrático bajo la legalidad deseada de la Constitución de 1940. Pero pronto se supo que esto no ocurriría así. Castro no demostró tener la menor consideración por las otras organizaciones revolucionarias con quienes había compartido la lucha. Desde el primer momento se proyectó asumiendo todos los poderes y tomando todas las decisiones, mientras que a los otros dirigentes sólo le respetaba la presencia en los actos públicos de los que siempre mantenía el control. Quizás para algunos esta actitud ambiciosa y calculadora sea reconocida como una habilidad y un derecho político, pero la realidad es que nunca puede conducir a un buen destino.

El Movimiento 26 de Julio había mantenido dos frentes armados en la provincia de Oriente y realizado trasmisiones de radio desde la Sierra Maestra, así mismo tenía comandos urbanos a lo ancho del país, todo lo cual le concedía un crédito mayor en la victoria. En adición a esto, y en el momento del triunfo, la prensa internacional proyectó la figura de Castro con grandes titulares que le valieron un crédito político que rebasaba las fronteras cubanas. Sin embargo a las otras organizaciones no le habían faltado méritos grandes y heroicos que habían adelantado el proceso. Pero estas últimas habían sufrido la desaparición en la lucha de varios líderes carismáticos que hubieran sido de gran valor en este momento de crisis para la república. Y el resultado final era que, entre los líderes reconocidos, sólo había quedado un enigmático Fidel Castro con muchos antecedentes oscuros y dignos de preocupación, pero que la mayoría del país no conocía, o irresponsablemente quiso excusar en aquel momento. Pero además, y sobre todo, apareció un músculo oculto de grandes proporciones, que aprovechando la desorganización política del país, manipulaba la opinión pública y los acontecimientos, siempre desde la sombra y en servicio de Fidel Castro. Esta era la membresía organizada del Partido Socialista Popular (PSP) comunista, que para obtener acceso al poder no vaciló en traicionar al sistema democrático que le había garantizado su propio derecho a existir como partido, y ahora laboraba para conculcárselo a todos los demás partidos. Ellos actuaban concertadamente desde los diferentes estamentos sociales del país, y hasta internacionales, tomando ventaja de la entusiasta desaprensión y desinformación de la opinión pública, y laboraba para una convergencia de todos los factores en pro de la creación y consolidación de un cesarismo bajo Fidel Castro.

Desde los primeros días aparecieron personeros del partido comunista (PSP) ocupando posiciones de importancia en niveles altos y medios de todos los sectores, y que tenían el respaldo de la cúpula revolucionaria. Hay que recordar que el derrocamiento de la dictadura había dejado desiertas muchas posiciones de poder que el nuevo régimen aprovechó para cubrir con nombramientos de dedo de sus incondicionales, lo que incluía la totalidad de la administración, las fuerzas armadas y hasta funcionarios judiciales. Estos nombramientos masivos crearon una adhesión incondicional a la cúpula del poder que los había designado, y que se fue haciendo más incondicional a medida que el Estado se iba convirtiendo en el único empleador del país. Fue un fenómeno semejante al de las fuerzas armadas anteriores con Fulgencio Batista, y que trajo los mayores males al país. Muchos de esos nuevos designados habían permanecido en distintos sectores durante años y sin mostrar una militancia aparente, y ahora repentinamente aparecían llenos de activismo y bien sincronizados con las directrices del régimen. Era frecuente encontrarse obreros comunistas de ayer, que nunca se habían sacrificado en riesgos revolucionarios, y hoy aparecían convertidos en tenientes del Ejército Rebelde. O el nombramiento de interventores sin calificaciones para el cargo pero obedientes al partido. No faltó en aquel entonces quienes mencionaran públicamente lo que muchos temían y se leía en las acciones del régimen, y era el peligro de la comunización del país. Pero el propio Castro reprimió estas expresiones con la ambigua afirmación de que «aquí no somos *anti* nada, sólo revolucionarios». Aunque muy pronto, él personalmente, resultaría ser el anti-imperialista más feroz del mundo. Con estos nombramientos masivos de personal consignado se creaba una adhesión incondicional al poder *de facto* y todo el país quedó a merced de la voluntad y ambiciones de un nuevo dictador.

Algunos pueden pensar con admiración sobre las habilidades demostradas por un individuo dispuesto a cualquier acción para satisfacer su *ego* de poder, sin considerar lo que ello puede significar para todo un pueblo, su historia y su felicidad. Pero detener el análisis en la maniobra que alguien realiza para convertirse en tirano y no avanzar al repudio, es una actitud indigna y que deshonra. Sin embargo muchos lo hicieron y aún lo siguen haciendo, con un gesto que es tan indigno como el del mismo tirano.

LOS MEDIOS DE COMUNICACIÓN

El gran desarrollo de la radio y la televisión en Cuba proveyó al nuevo régimen de excelentes medios de difusión para divulgar sus ideas e influir en la opinión pública. El pueblo se encontraba ávido de ideas para renacer su república, y Fidel Castro se dispuso a llenar esas ansias con frecuentes y prolongados discursos a través de las ondas radiales y la televisión. Sus alocuciones estaban llenas de expresiones idealistas sobre lo que la revolución representaba, y de promesas sobre lo que se podría lograr en el futuro, pero siempre eludía el tema de la nueva institucionalidad del país que se venía manteniendo al mínimo imprescindible. Una constante de sus discursos era la crítica de los crímenes del régimen anterior, que luego fue transfiriendo, poco a poco, a algunas clases sociales y después al sistema capitalista. Por el entusiasmo de los primeros tiempos, e invocando la importancia del mensaje revolucionario, se vio como algo justificado la frecuente asociación en cadena de las emisoras, en lo que se llamó el FIEL (Frente Independiente de Emisoras Libres), y que se promocionaba con el slogan de «FIEL, fiel a Cuba, fiel a la revolución». Este fue el preámbulo, pero más tarde ocurriría la intervención de todas las empresas trasmisoras, según se declaró «para garantizar la unidad en la divulgación del mensaje revolucionario».

Este tiempo fue prolijo en el lanzamiento de consignas divulgadas masivamente por todos los medios, y que tácticamente ayudaban a consolidar el nuevo régimen. Estaban tan coordinadas que no es posible pensar que surgieran espontáneamente. Había miembros del PSP elaborándolas y distribuyéndolas a sus cuadros para su difusión y repetición masiva. Entre ellas aparecieron diversos *epítetos* y *consignas* como «*máximo líder*» y «*líder indiscutible de la revolución cubana*»que siempre acompañaban al nombre de Fidel. Pero el propio

Castro se convirtió en creador y vocero de *consignas* importantes como fue el de «*armas ¿para qué?*» que sirvió para desarmar al país, y el de «*nos casaron con la mentira*» con el que quería ocultar lo que él mismo estaba haciendo y ha mantenido a lo largo de su tiempo de dominio.

Otra consigna fue la prédica y fijación del mito de la «unidad», que según se decía todos debían mantener para poder avanzar la revolución. El término «unidad» se percibía como algo positivo, lógico y noble, y por lo cual era aceptado sin rechazo. Pero la realidad es que la «unidad» en política es un mito que no resiste el análisis. En un conjunto humano nunca hay «unidad» de opiniones, y lo único razonable y democrático es la «solidaridad» para el logro de fines compartidos. Pero la «solidaridad» implica análisis y juicio sobre las cuestiones, y esto es lo que el régimen quería eliminar. Lo que el régimen estaba pidiendo con la «unidad» es que todos los ciudadanos sacrificaran su propia opinión y el pueblo quedara a merced de los designios del régimen.

Con la prensa escrita ocurrió de modo diferente. Tras los primeros tiempos de bienvenida al proceso revolucionario, y en consonancia con la práctica democrática que se decía defender, fueron apareciendo voces de prestigio que con un tono respetuoso y responsable hacían crítica y señalamientos al nuevo régimen. Pero lejos de ser escuchados y atendidos fueron reprimidos tajantemente, y esto se hacía con un tono amenazante que descifraba la incógnita de que en Cuba ya no se iba a permitir la libertad de expresión. Ante la persistencia de voces valientes que sostenían sus opiniones, el régimen acudió a la creación de comités revolucionarios dentro de esos centros de trabajo, que en nombre de su derecho a discrepar de los directores y editorialistas, añadían notas de repudio (llamadas coletillas) al final de los artículos críticos. Es lógico que esta situación no podía perdurar, y el siguiente paso fue organizar supuestas «acciones del pueblo» que invadieron los recintos periodísticos con gran fanfarria y publicidad, y notable ausencia de las autoridades del orden. La represión llegó incluso al cierre de vehículos informativos de la propia revolución que se desviaban de los intereses oficiales, como fue la supresión del magazín Lunes de

Revolución. Y con la pérdida de la libertad de expresión a Cuba se le agotó la esperanza de regresar a la democracia.

LA VIVIENDA

La vivienda es una necesidad insoslayable para el ser humano, y que se soluciona a través de viviendas poseídas o rentadas. La inversión inmobiliaria siempre ha sido una inversión sólida que genera buenos beneficios, pero también provee la cantidad y tipos de vivienda que se necesitan en un mercado libre. Mas, por el constante crecimiento de la población siempre hay un déficit de viviendas que se va subsanando con nuevas inversiones. Conociendo que la posesión de capital conlleva poder social el régimen decidió eliminar la propiedad inmobiliaria que calificaba de «parasitaria». Para ello dictó la Ley de Reforma Urbana por la que se decía iba a beneficiar a la clase obrera dándole la oportunidad de adquirir una vivienda estable y aumentar su poder adquisitivo. Por su parte a los antiguos propietarios se les daría una indemnización «decorosa» que les permitiera hacer frente a sus necesidades. La medida daba credibilidad al discurso social del régimen y fue recibida con júbilo por los beneficiados. Sin embargo tuvo el efecto negativo de paralizar inmediatamente la industria privada de la construcción, que siempre es mayoritaria en todos los países libres, con la consiguiente pérdida de puestos laborales, y creando en corto plazo, pero ya con carácter permanente y definitivo, la progresiva y desesperante escasez de viviendas que se experimenta todavía en todo el territorio nacional.

EL SINDICALISMO

El sindicalismo cubano había alcanzado un gran desarrollo, era fuerte y había logrado beneficios reales y notables para la clase obrera. Es oportuno aclarar que casi medio siglo después, muchos de estos beneficios, aún no se han podido lograr en muchos países desarrollados. Y es lógico que el activismo comunista tenía su presencia en este sindicalismo por vocación natural de su movimiento, pero esto no alteraba la postura consistentemente democrática de los afiliados, ni desfiguraba los resultados. Debe reconocerse la calidad de algunos dirigentes comunistas que lograron posiciones de liderazgo y tuvieron una excelente ejecutoria de sus obligaciones para con la clase que representaban. Pero también era lógico que los comunistas lo hicieran así por estar actuando dentro de un sistema capitalista de producción.

La clase obrera, que es siempre mayoritaria en todos los países, tuvo una actuación destacada para el derrocamiento de la dictadura de Batista. Todo esto al margen de la buena relación del Secretario General de la Confederación de Trabajadores de Cuba (CTC) con el dictador Batista, que no tuvo malas consecuencias para los trabajadores. Los obreros estuvieron presentes en todas las organizaciones revolucionarias, por lo que pagaron un alto precio en vidas humanas. Por eso, al llegar al final de la lucha, sentían la victoria como algo propio y resultado de su sacrificio. Pero el obrerismo cubano tenía cultura social, estaba entrenado para el debate, y además estaba consciente de su peso político y social, y esas capacidades lo convertían en enojoso y peligroso para un régimen que quería inducir una ideología antidemocrática y de forma inconsulta. Por ello la destrucción del movimiento sindical cubano se convirtió en una prioridad de la agenda totalitaria, que de paso sería sustituido por un organismo dócil y cooperativo, para lo que se contaría con la experiencia y ayuda del Partido Socialista Popular. Todo se consumó en una asamblea general ambientada y organizada por los comunistas que contó con la presencia del propio Castro. Y cabe preguntarse ¿cómo fue posible desactivar un fuerte movimiento gremial reconocido por la clase obrera y exitoso en sus resultados?. Pero es que la razón y el derecho sólo tienen fuerza dentro del entorno democrático, y nunca frente a la amenaza de unas fuerzas armadas improvisadas, incultas, y por ello incondicionales.

LA EDUCACIÓN

La educación en Cuba republicana tenía muchos logros y motivos de orgullo. Vale la pena esclarecerlo por la forma malintencionada y distorsionada con que el régimen hace referencia a la misma. La escuela pública primaria era obligatoria y servía a todo el territorio nacional, con la lógica excepción de zonas muy apartadas y de población dispersa, que la república joven aún no había podido alcanzar. Pero los distintos gobiernos siempre demostraron una decidida intención de extender la educación a la totalidad del país. Algo que evidencia esta voluntad de hacerlo fue el programa de las escuelas cívico rurales, que desarrollaron su campaña mucho antes de que el régimen revolucionario lanzara su famosa campaña de alfabetización. Pero una prueba aún mayor de ello, era el incremento progresivo del por ciento de fondos del presupuesto nacional que se destinaba para la educación y que resultaba ejemplar para el continente. Para ello se contaba con una clase de maestros capaces, conscientes de su importancia y responsabilidad con la sociedad, y con dedicación dispuesta al sacrificio. Prueba de esto eran maestros rurales que no vacilaban en acudir a caballo para enseñar a los niños campesinos en escuelas rurales alejadas. Todo esto le daba a la isla un bajo nivel de analfabetismo cuando se le compara con las estadísticas del continente de entonces.

Para la escuela secundaria, como en todos los países, se habían creado centros en muchas cabezas de municipios que instruían con un variado programa de cuatro años comunes y un quinto de especialización en ciencias o en letras para poder ingresar a la enseñanza universitaria. También es de destacar la capacidad del profesorado en ese nivel educativo, que muchas veces estaba integrado por profesionales graduados de los distintos ramos.

Además de la escuela pública existía una gran variedad de escuelas privadas, confesionales y laicas, siempre supervisadas por el gobierno, que también impartían los dos niveles de educación. Pero tanto la escuela pública como la privada impartían una excelente preparación que cumplía el objetivo de dar una base sólida para la enseñanza superior.

A la llegada del régimen revolucionario el país contaba con diversas universidades estatales y privadas, que habían demostrado el éxito del sistema educativo cubano con la creación de una clase profesional numerosa, capacitada y con prestigio en todas las ramas.

Otro hecho que certifica la calidad de la educación en la Cuba prerrevolucionaria es la cantidad y calidad de libros de texto escritos por profesionales cubanos en todos los ramos, que eran usados para los distintos niveles de la enseñanza y hasta exportados para ser empleados por los sistemas educativos de otros países.

Y vale decir que todo ese complejo sistema que se ha descrito no desarrollaba su trabajo en función de ningún interés político o económico, sino únicamente en función de capacitar a las nuevas generaciones y trasmitirle los valores democráticos que animaban al país.

Pero es lógico que un sistema educativo con esas características no le servía al nuevo régimen para sus propósitos totalitarios. Ese régimen necesitaba destruir los valores familiares, históricos, cívicos, morales y espirituales existentes porque estorbaban para la nueva sociedad revolucionaria. Había que desprestigiar la tradición y desatar los límites de todo para que del caos se pudiera manipular el nuevo uniforme social que todos debían vestir. Y ¿cómo fue posible que algo tan amplio, complejo y establecido como el sistema educativo nacional pudiera ser eliminado y sustituido por otro tan divergente?.

La escuela pública dependía totalmente del Ministerio de Educación, y en la administración revolucionaria los ministerios sólo le debían cuentas a Fidel Castro, que a su vez era el más interesado en que se realizaran los cambios. Por eso fue fácil hacerlos a través de nuevas regulaciones y directivas que espantaban a los antiguos maestros, pero quedaban implantadas porque no había oído para sus opiniones, y despues por el miedo creciente. Está claro que esto no se pudo planear ni realizar sin el concurso de los cuadros intelectuales del Partido Socialista Popular seriamente comprometido con los planes de la antigua URSS para Cuba. Por su parte la sociedad civil estaba siendo diezmada por las expropiaciones, o se estaba batiendo en retirada, y por ello no le era posible coordinar una reacción efectiva en contra de aquella hecatombe.

La desaparición de las escuelas privadas fue tan brutal como sencilla. Interventores designados por el régimen, y con el apoyo de grupos militares armados se fueron personando en cada una de esas escuelas e informándole a sus responsables que sus centros educativos quedaban intervenidos por el Estado. Así de simple.

El nuevo sistema educativo diseñado por el régimen estaba destinado a crear las condiciones para la generación del llamado *hombre nuevo* que sería el ciudadano ideal para el desarrollo futuro del Estado revolucionario. Para ello se reescribió la historia del país destacando como los luchadores por la independencia habían sido burgueses que sólo actuaron por motivos económicos, que habían fundado una república mediatizada, y que la verdadera independencia era la revolución de Fidel Castro. Salvaron la figura de José Martí por su prestigio universal, pero festinadamente lo declararon como *autor intelectual* de toda la obra revolucionaria. Todos los nuevos textos fueron escritos desde el ángulo ideológico que interesaba al régimen, y eliminaron toda otra opción. Se condenaba la república anterior de forma absoluta porque se decía que ésta no había realizado nada bien, la culpa de todo la tenían los E.E.U.U., los valores religiosos eran un atraso, y la moral burguesa una hipocresía que debía ser sustituida por una nueva moral revolucionaria. A esto se le añadió después el proyecto de la *escuela al campo*, porque se decía que media jornada de trabajo y media jornada de enseñanza constituía la verdadera educación integral. Pero la realidad confesada por funcionarios de la educación revelaba que el propósito real de esta *escuela al campo* era la de separar a los jóvenes de la influencia y los valores familiares, y ponerlos en un ambiente desarmado y controlado ideológicamente donde se les pudiera inducir los nuevos valores.

También se procedió, desde muy pronto, a iniciar la formación de los futuros cuadros comunistas, por el envío de jóvenes cubanos a estudiar en becas de todo tipo que la antigua URSS y los países socialistas ofrecían generosamente.

Los toques finales al nuevo sistema educativo era la *Organización de Pioneros José Martí* a la que debían pertenecer todos los niños, a los que se le concedían beneficios especiales y con la que se ejercía una descomunal presión de grupo sobre cualquier niño que se resistiera a la corriente oficial. Los *pioneros* debían mantener pizarras murales de contenido ideológico. Al llegar por las mañanas a las escuelas se les exigía una formación disciplinada de conjunto donde recibían orientación política sobre los acontecimientos nacionales e internacionales del día, y al final de la cual se juramentaban colectivamente con las expresiones «¡pioneros por el comunismo, seremos como el Ché, patria o muerte, venceremos!». Y por si algún joven terminara la segunda enseñanza sin ser políticamente seguro, existía un último control de seguridad denegándole el acceso a los estudios universitarios, o limitándole las carreras que podría escoger. Con todo lo cual se garantizaría la permanencia histórica de la obra revolucionaria.

Independientemente de la finalidad torcida que se dio a la educación, cabe decir que el despliegue de recursos para desarrollarla fue descomunal, aunque no tenía base en los recursos propios del país, y era sólo el producto de un mecenazgo externo que no podía perdurar.

LA RECUPERACION DE BIENES MALVERSADOS

Una originalidad del nuevo régimen fue la creación del Ministerio de Recuperación de Bienes Malversados. Era lógico que cualquier enriquecimiento corrupto debía ser castigado y los fondos retornados al erario, lo que se hace en cualquier país mediante un proceso judicial. Pero el que se constituyera como una estructura ministerial ya daba idea de la envergadura de lo que se planeaba. Se recuperaron muchos bienes mal habidos por los personeros del régimen anterior y sus adláteres, pero aprovechando que todas las instancias del poder judicial estaban en un limbo, también se realizaron muchos despojos ilegales de propiedades, bienes y riquezas obtenidos con honradez, y este ministerio fue instrumental para muchas intervenciones injustas con el fin de lograr un control de los bienes de producción que la administración revolucionaria traía en su agenda.

LA CULTURA

El nuevo régimen comprendió la conveniencia de abrir un frente con la Cultura. No porque tuviera un gran interés en ella, pues traía planes de vetar toda expresión cultural adversa y de estimular el planfletismo político que lo justificara, sino porque podía ser un instrumento formidable de apoyo internacional.

El revuelo informativo, y también propagandístico, que tuvieron los acontecimientos revolucionarios de 1959 en Cuba lograron un interés y un seguimiento de los hechos por gran parte de la opinión pública mundial, como la juventud idealista, las instituciones progresistas, los movimientos de izquierda, los comunistas, los intelectuales etc., muchos de los cuales, no sólo sintieron admiración por la revolución cubana, sino que también la defendieron como una causa propia. Para todos estos sectores el régimen elaboró planes, pero el de los intelectuales era especialmente importante, porque estos a través de su crítica o apoyo, influyen notablemente en la formación de las opiniones, y por tanto, en la política.

Como parte del control total del país, el régimen intervino todas las imprentas y fundó la *Imprenta Nacional de Cuba*, cuyo primer trabajo fue la publicación en rústica de muchas obras de la literatura universal y contemporánea que no presentaban conflicto con el momento ideológico del país. Esto ofreció una buena imagen inicial del proceso cultural cubano para el exterior. Simultáneamente se reactivó y promovió la vieja *Casa de las Américas* con una ambiciosa agenda que incluía concursos internacionales anuales para todos los géneros literarios, la celebración de grandes eventos culturales con escritores y artistas internacionales, conferencias, exposiciones, etc.. También la *Casa de las Américas* publicaba una excelente revista donde se conjugaba la calidad formal con un sustancioso contenido en temas de izquierda por plumas de prestigio internacional.

Toda esta agitada agenda cultural era posible porque estaba totalmente sufragada con generosidad por el gobierno cubano a costa del sacrificio de sus ciudadanos. Así la *Casa* formulaba amplias invitaciones a escritores y artistas para viajar a Cuba con todos los gastos pagados a fin de servir como jurados en los certámenes literarios, asistir a eventos culturales, a impartir conferencias o alguna otra actividad. También se invitaba a muchas personalidades latinoamericanas para que vinieran a tener una experiencia de primera mano sobre los logros de la revolución cubana. Por supuesto que en todos estos casos eran visitas dirigidas con una apretada agenda que les demostraba la mejor imagen de la revolución cubana. Para Fidel Castro había además otra ganancia, y es que los actos de conclusión de tales eventos, siempre le ofrecían una tribuna influyente para proyectar su figura, difundir sus ideas y justificar sus políticas.

Su revista se mantuvo por años entre las mejores publicaciones del género literario, y su amplia circulación internacional, la convirtió en un prestigioso lugar para ser publicado.

Había otro incentivo para mantener una buena relación con la *Casa de las Américas* y la amistad con la revolución cubana, y era la posibilidad de que la institución publicase y distribuyese gratuitamente alguna obra propia, que de otra forma, no había encontrado el camino editorial. Y es claro que la riqueza de actividades, la generosidad recibida y toda la información dirigida creaban un sentimiento de buena voluntad en los intelectuales y artistas que las experimentaban, y de hecho quedaban convertidos en propagandistas de la revolución cubana.

El terror creado dentro del país, había reprimido a los concursantes cubanos de participar en los certámenes con temas de conflicto que nunca hubieran podido encontrar su camino al premio. El propio Castro había advertido contra esta posible ocurrencia con una frase draconiana que rezaba *«dentro de la Revolución, todo, fuera de la Revolución, nada»*, con la que definía claramente su política cultural. Mas con el tiempo llegó a ocurrir que alguien intentara temas escabrosos, y que por su calidad, el jurado lo premiara. En esos casos la cúpula gobernante siempre reaccionó acremente y sin vacilación para

ejercer su veto, que sorprendentemente, no escandalizaba a los numerosos intelectuales que estaban fascinados por la Revolución Cubana.

LA SOCIEDAD CIVIL

La sociedad civil es expresión de la libertad de los ciudadanos, y
debe estar amparada por los derechos y garantías que todo Estado de
derecho reconoce a sus ciudadanos. Y a través de la sociedad civil es
que todos los ciudadanos pueden contribuir su creatividad para el
logro del bien común.

La sociedad civil es independiente del gobierno pero puede ayudar,
complementar, y hasta liberar al gobierno de muchas funciones.
Incluso la sociedad civil es pionera en iniciar los nuevos servicios que
promueve el desarrollo social, tecnológico y económico de la sociedad
general. Ella pues, realiza un importante papel en todo Estado democrático y moderno. Y puede decirse que a un mayor desarrollo de la
sociedad civil corresponde un país más democrático y desarrollado.

A su llegada al poder, la revolución cubana encontró al país con un
buen desarrollo de su sociedad civil, lo que había viniendo ayudando
al gobierno a escuchar las distintas voces y realizar el equilibrio
democrático nacional. En algunos párrafos de este ensayo, ya habla-
mos de muchas manifestaciones de esta sociedad civil. Pero conviene
aclarar que había muchas otras que faltan por mencionar, y demues-
tran el desarrollo socio-político cubano.

En el país existían asociaciones de todo tipo para actividades
culturales, entre las que se puede citar la Sociedad pro Arte Musical,
el Instituto Folklórico Nacional, el Ballet de Cuba, el Liceum Lawn
Tennis, la Academia de la Historia, la Academia de la Lengua, la
Academia de Filosofía, la Academia de Ciencias, el Club Atenas, la
Sociedad Económica de Amigos del País, la Sociedad Filatélica de
Cuba, el Rincón Martiano, la oficina del Historiador de la Ciudad de
La Habana, el Community Club, la Alliance Francaise, el Conservato-
rio Hubert de Blanc, numerosas salas de teatro como Talía, El Sótano,

las Máscaras, Atelier, Farseros, etc., el Conservatorio Nacional, el Centro Católico de Orientación Cinematográfica, etc.,.

Para desarrollo de los colegiados y la defensa de sus intereses, existían los Colegios Profesionales de todos los ramos, Arquitectos, Médicos, Ingenieros, Pedagogos, Abogados, Contadores Públicos. La Universidad contaba con la Federación Estudiantil Universitaria (FEU). También para la defensa de otros intereses específicos existían las Asociaciones de Propietarios y Vecinos, la Asociación de Detallistas, la Asociación de Empresarios Cinematográficos, la Asociación de Artistas, la Asociación de Colonos, la Asociación de Hacendados, la Asociación de Veteranos, la Cooperativa de Ómnibus Aliados, etc. Las asociaciones de comunidades regionales como el Centro Gallego, el Centro Asturiano, la Beneficencia Catalana, etc. Asociaciones fraternales como las Logias Masónicas, la Asociación A.J.E.F., la Asociación de Acacias, los Caballeros de la Luz, los Odd Fellows, etc. Sociedades de acción cívica y benéfica como el Club de Leones, el Club de Rotarios, la Liga de la Decencia etc. Las Asociaciones de Antiguos Alumnos de Colegios Privados, etc.

Para el desarrollo del deporte, como la Liga de la Pelota Profesional de Cuba, las diferentes Ligas de la Pelota Amateur de Cuba, la Comisión Nacional de Boxeo, la Federación Atlética Intercolegial, el Club San Carlos, el Club San Francisco, el Fiat Lux, el Club Capablanca, la Federación Cubana de Judo, los Boy Scouts de Cuba, la Sociedad Espeleológica de Cuba, y todos los clubes sociales del país, etc.,.

Para el recreo de sus miembros, como el Centro Gallego, el Centro Asturiano, el Club de Profesionales, el Club de Ferreteros, el Habana Yacht Club, el Vedado Tennis Club, el Círculo Militar, el Country Club, el Biltmore Lawn & Tennis Club, el Club Cubanaleco, el Club Náutico de Marianao, el Casino Español, la playa Hijas de Galicia, el Balneario Universitario, la Concha, el Club Copacabana, el Club Náutico de Varadero, el Cienfuegos Yacht Club, el Club Vista Alegre, los Clubes de Cazadores en distintas localidades, el cabaret Tropicana, el cabaret Montmartre, el cabaret Sans Souci, el Casino Nacional, el Casino Parisién, el Cabaret Sierra, numerosos clubes nocturnos, espectáculos teatrales, salas cinematográficas por todo el país, galerías de arte, etc.,.

Para las actividades religiosas, como las ramas de la Acción Católica Cubana para Caballeros, Damas y Juventud, además la Juventud Obrera Católica, la Agrupación Católica Universitaria, los Escuderos de Colón, y muchas otras de todas las denominaciones religiosas.

Todas las asociaciones nombradas, y muchas otras que harían una lista interminable, estaban en perfecto funcionamiento y cumplían una gran labor para el enriquecimiento de la sociedad cubana. Sin embargo, cuando llegó al poder el régimen revolucionario de Castro, éste fue tomando el control de todas y cada una de esas sociedades en diversas formas que no excluyeron los métodos violentos. Con ello todas las sociedades perdieron la vitalidad que caracterizaba al pueblo cubano. Muchas asociaciones perdieron su sentido en la nueva situación, otras fueron disecadas para mantener la apariencia, otras perdieron su carácter original para servir las directrices revolucionarias, y otras, como las religiosas y fraternales quedaron sitiadas, sin acceso al pueblo que era todo su sentido, y sometidas a una permanente y ostensible vigilancia por la Seguridad del Estado.

Como se podrá comprender, la llamada revolución cubana se propuso y logró destruir toda la obra, el espíritu y la iniciativa del pueblo cubano. No había que tener demasiado talento para comprender que un poder totalitario estaba reñido con la diversa y pujante sociedad civil de Cuba. Y esta fue causa principal de muchos problemas, carencias y la infelicidad del pueblo cubano por casi medio siglo.

LA RELIGIÓN

La religión forma la conciencia del individuo para construir una sociedad libre y solidaria. El totalitarismo, por su parte, obliga a un tipo de sociedad al que se debe someter y sacrificar la conciencia individual. A la religión se va libremente, pero al totalitarismo no se va, él es quien viene a tomar posesión del individuo. Por ello el totalitarismo ve a la religión como un enemigo. Y Cuba no iba a ser la excepción. A la religión había que aplastarla. Porque el discurso de los valores espirituales que representaban y fomentaban todas las iglesias y sus denominaciones, resultaban francamente contrarrevolucionarios para un régimen que se proclamaba ateo. No sólo se eliminó el nombre de Dios de la Constitución de la república, sino que se pasó a una ofensiva nacional, sin límites y por todos los medios.

Muy pronto trató de crear una escisión dentro del catolicismo, mayoritario en el país, a través de la creación de una Iglesia Revolucionaria, como se ha realizado en todos los países comunistas, pero fracasó en su intento. Entonces decidió expulsar a un elevado número de sacerdotes y religiosos que dejaron muy disminuida la capacidad de la Iglesia en el país.

Como concesión, para evitar el escándalo internacional, el régimen decidió permitir a todas las iglesias el mantener un culto limitado dentro de los templos, pero se les negaba el derecho al culto público, a hacer proselitismo, o a desarrollar sus actividades caritativas tradicionales. Sin embargo, a pesar de la concesión, el régimen mantenía un ataque constante en contra de la religión por todos los medios a su alcance, especialmente a través del sistema educativo sobre niños y jóvenes. Parte del ataque se realizaba organizando y azuzando turbas que rodeaban los templos y amenazaban con vandalizar sus interiores, mientras solicitaban a coro el temido ¡paredón! para los ministros. Todo ello ocurría con la notable ausencia de las fuerzas policiales que nunca respondían al llamado. También se desarrolló una constante represión sobre quienes se mantenían como creyentes por parte de los organismos políticos y de la seguridad, y discriminándolos con los peores empleos. También para impedir el culto dentro de las iglesias, el régimen organizaba actividades colectivas en los alrededores de los templos con potentes altavoces y a las mismas horas en que se celebraban los servicios religiosos. La persecución era tan evidente que muchos padres llegaron a la conclusión de que bautizar a un hijo era desgraciarlo para una discriminación vitalicia. Sin embargo, no hubo intervención para el leprosorio del Rincón que por muchos años ha mantenido la Iglesia Católica., y resulta curioso que se quisiera abolir la religión mientras se reconocía que sólo las religiosas podían dar el servicio sacrificado, humano y amoroso que necesitan esos enfermos especiales. Finalmente el régimen decidió que lo mejor era la infiltración para conocer y deshacer cualquier forma de servicio o proselitismo. Y a partir de entonces las iglesias han tenido que desarrollar su labor espiritual bajo la vigilancia ostensible, pero también emboscada, de la Seguridad del Estado, que ha llegado hasta la infiltración de agentes en los seminarios con el fin de que recibieran la ordenación sacerdotal, como también al montaje de incidentes para desprestigiar a las iglesias y alejar a los feligreses.

LOS SERVICIOS SOCIALES

El régimen había creado grandes expectativas para la seguridad social. Para ello creó todo un Ministerio de Bienestar Social, aunque no se sabía de donde saldrían los fondos para su operación. Pero muy pronto la incógnita se despejó por la intervención de todos los fondos bien habidos de las cajas de retiro del país. Con esto se derrumbaban todas las previsiones que habían tenido los obreros durante años para su futuro, y su sacrificio quedaba sujeto a decisiones de gobierno que no tenían apelación posible. Con ese gesto omnímodo el nuevo régimen violaba derechos, se robaba los capitales ahorrados y sus posibles intereses, y sometía el futuro económico de todos los retirados al arbitrio de su tiranía. Los que se pudieron retirar en los primeros tiempos lograron los pagos mensuales esperados, pero con posterioridad los pagos por concepto de retiro menguaron. Muy pronto, se dispuso también el cambio de la moneda para obligar a toda la ciudadanía a revelar sus ahorros privados y limitarle la disposición de dinero.

LA REFORMA AGRARIA

La reforma agraria ya había sido contemplada en la Constitución de 1940 pero el Congreso aún no había abordado la legislación complementaria que definiera y viabilizara esta reforma. Había elaborado muchas otras leyes importantes para la república, pero la referente a lo agrario, y quizás por su complejidad, se había quedado atrasada. Sin embargo el tema requería una atención urgente como quedó demostrado en la encuesta realizada por la Agrupación Católica Cubana (ACU) sobre el nivel de vida del trabajador agrícola cubano. Por ello, con toda oportunidad, y aún desde la insurgencia, los miembros del futuro régimen revolucionario habían elaborado un proyecto de ley de Reforma Agraria que implantarían tras la victoria. El proyecto original fue plasmado por Humberto Sorí Marín, pero en el camino hacia su promulgación todavía sufrió algunos ajustes. La ley que llegó a proclamarse perseguía la eliminación del latifundio y de las tierras ociosas, así como el fomento de la pequeña propiedad rural campesina. La ley no trasparentaba intenciones comunistas, aunque tampoco impedía una evolución en ese sentido. Mas, al régimen, nunca le preocupaba el compromiso público que le pudieran crear las leyes que promulgaba. El tenía a su favor la interacción de las leyes, y a través del Ministerio de Recuperación de Bienes Malversados ya había podido iniciar las intervenciones de latifundios y tierras, tanto los ociosos como los que estaban en producción. Además cuando se cuenta con el control de toda la prensa se puede hacer cualquier cosa. Muy pronto se pudo constatar que la aplicación real de aquella Reforma Agraria significaba la total estatización del agro cubano. Hubo zonas en las que se permitió el mantenimiento de las pequeñas propiedades agropecuarias existentes durante un tiempo solamente, pero sólo hasta que los planes del gobierno para dicha zona estuvieron concluidos y se decidía iniciar su ejecución. Así se fue procediendo sistemáticamente a la destrucción de todos los linderos y cercas por todo el territorio nacional, con vistas al desarrollo de grandes pero ineficientes planes dirigidos por el gobierno. Los campesinos que perdían sus tierras se veían conminados a integrarse en colectivos de trabajo, porque el único empleador posible era el gobierno. Así todos pasaban a formar parte de lo que el régimen llamaba cooperativas, pero en realidad eran comunas comunistas.

Esta dinámica fue haciendo desaparecer la variada producción agropecuaria que satisfacía sobradamente el consumo interno del país, y alcanzaba para la exportación. Y esto ha venido dando lugar a la escasez crónica de productos del agro que padece la ciudadanía. Todo ello tiene su mejor evidencia en la instauración y permanencia de una libreta de abastecimientos que ya va durando cuarenta y tantos años. Tan dramático como esto lo ha sido la destrucción de muchos sistemas productivos, incluyendo el deterioro o desaparición de centros industriales, en renglones básicos de nuestra economía como el azúcar, el tabaco y la ganadería, con la lógica reducción de la productividad. Y este giro socio económico, que afectaba la independencia tradicional del campesino, produjo una aceleración en la tendencia migratoria del campo a la ciudad que fue diezmando y eliminando la indispensable clase campesina.

LA SALUD

Los cuidados de salud en Cuba no eran perfectos, pero tenían grandes logros. De hecho los documentos de la Organización Mundial de la Salud (OMS) y la Oficina Médica Panamericana de los años cincuenta calificaban la medicina cubana de excelente para los estándares de aquel tiempo, y sólo superada en el continente por los E.E.U-.U. y la Argentina. Allí se registran índices de salud en Cuba que resultaban impresionantes en el conjunto latinoamericano. Ello se debía en primer lugar a la existencia de una clase médica numerosa, hombres y mujeres, altamente capacitada y con prestigio internacional, tanto en medicina general, como en las especialidades y en cirugía. Lo que se debía a que la enseñanza universitaria y la práctica de la Medicina en Cuba estaban bajo dos importantes influencias, el método de la escuela francesa y la tecnología norteamericana. Esta combinación permitió formar profesionales de primera línea, que además ejercían su profesión con mucha responsabilidad social.

En segundo lugar existían numerosos y grandes hospitales en La Habana sostenidos por el gobierno, que daban todo tipo de servicios gratuitos a la población. Vale la pena citarlos para quienes han carecido de información: el Hospital General Universitario «Calixto García», el Hospital General Universitario «Reina Mercedes» que tenía adscrito el Instituto del Radium, el Hospital de Emergencia, el Hospital Psiquiátrico de Mazorra, el Hospital Clínico Quirúrgico, el Hospital Militar, el Hospital Naval, el Hospital de la Policía, el Hospital Las Ánimas para enfermedades infecciosas, el Hospital de Maternidad Obrera, además de la Maternidad del Vedado, el Hospital Infantil, que tenía adscrito el Instituto de Angiografía Vascular, y el Hospital Aballí para niños, el Sanatorio La Esperanza para el cuidado de los tuberculosos, el Instituto Carlos J. Finlay para la investigación de enfermedades infecciosas, el Instituto de Pruebas de Cardiología Clínica, el Hospital Ortopédico que tenía adscrito el Instituto de Cirugía Cardiovascular, el Hospital Oncológico, el Hospital para Enfermedades Venéreas, la Organización Nacional de Dispensarios Infantiles (ONDI) con diversas instalaciones en distintas localidades del país, la Organización Nacional para la Rehabilitación Infantil (ONRI) también con instalaciones en distintas localidades del país. Existían asimismo las llamadas Casas de Socorro en las distintas barriadas para atender urgencias y casos menores. En todos estos centros se prestaba todo tipo de servicios con gratuidad. Pero además estaban en proceso de construcción y próximos a su inauguración el Hospital General Nacional y un anexo al Hospital Infantil.

Las capitales de provincias contaban con hospitales provinciales perfectamente equipados para ofrecer servicios médicos, absolutamente gratuitos, y entre los cuales estaban los servicios de maternidad . Precisamente en Santiago de Cuba se estaba terminando de construir un hospital de mayores dimensiones y mejor dotado para las necesidades crecientes de la provincia. Pero además es digno de citar en las provincias el Sanatorio de Topes de Collantes para el tratamiento de la tuberculosis, que se había ubicado en la provincia central de Las Villas por las ventajas climáticas que allí se ofrecían.

La cadena hospitalaria no se detenía en el nivel provincial y también se extendía hasta los hospitales municipales, que daban servicios de medicina general, especialidades de cierto nivel, en algunos de ellos también se daban servicios de maternidad, y podían referir a otros hospitales mayores. Y en algunos bateyes de centrales azucareros también existían unidades sanitarias que daban servicios básicos a la población.

Se habían fundado otros hospitales privados en La Habana con fines específicos, como eran la Liga Contra el Cáncer, y la Liga Contra la Ceguera, que eran los lugares más acreditados en sus respectivas especialidades, y los cuales hacían campañas nacionales y atendían a esos enfermos.

También se habían heredado de la colonia unas sociedades mutualistas para servicios hospitalarios de todo tipo, que contaban con enormes y excelentes instalaciones, y que mediante el pago de una mensualidad mínima, aseguraban consultas, medicinas, cirugía, hospitalización, asilo de ancianos y hasta centros educativos y de recreación. Es claro que estas llamadas *quintas* estaban localizadas en La Habana, pero la gente del interior también se podía asociar y beneficiarse de las mismas. Podemos citar la Quinta La Benéfica, la Quinta Hijas de Galicia, ambas regidas por el Centro Gallego, la Quinta de La Covadonga regida por el Centro Asturiano, la Quinta Canaria regida por la organización canaria, la Quinta Castellana y La Balear. También con el mismo concepto se había creado la Quinta de Dependientes.

Pero además había servicios médicos en otros hospitales y clínicas, algunos de ellos mutualistas de más reciente fundación, como la Clínica del Sagrado Corazón, la Clínica de las Católicas Cubanas, el Hospital Jurídico, el Hospital de San Juan de Dios, el Sanatorio Iruretagoyena, el Hogar Clínica San Rafael, la Clínica Miramar, la Clínica F y 25, la Clínica Antonetti, y otras.

Las clínicas mutualistas privadas no eran exclusividad de la capital del país y las capitales de provincia, también existían en municipios importantes. Además de todas estas instalaciones citadas, se contaba con todas las consultas de médicos privadas a lo largo del país y que cubrían todo el territorio nacional, excepto las zonas despobladas, poco accesibles y carentes de infraestructura. Pero es importante aclarar que en Cuba, por el tamaño del país, por la configuración alargada del mismo y por la carencia de grandes accidentes geográficos, siempre existía la posibilidad de que casi la totalidad de la población tuviera acceso a una instalación clínica u hospitalaria suficientemente próxima a su domicilio.

Mas hay otros aspectos que completan el cuadro de los servicios médicos previos al régimen totalitario cubano. Se practicaba la medicina preventiva con campañas masivas de vacunación gratuita contra la viruela y la poliomielitis a través de las escuelas, el DPT (difteria-tétano-tos ferina) y contra la fiebre tifoidea a través de los hospitales infantiles. También se podían obtener otras vacunas mediante pago módico. Otro aspecto de suma importancia es que en Cuba nunca se experimentó escasez de medicamentos. El tercer aspecto es que los miembros de los distintos gobiernos nunca crearon centros especiales de servicios médicos privilegiados para su uso exclusivo, y se atendían en los mismos centros que el resto de los ciudadanos.

Pero además, y sobre todas las cosas, todo este sistema de servicios extensivos y calificados se sostenía dentro de los engranajes económicos autónomos del país, sin necesidad de contribuciones o mecenazgos extranjeros.

Sin embargo, y a pesar de todo lo descrito anteriormente, no se puede decir que los servicios médicos en Cuba fueran algo perfecto, como nunca podrán serlo en ningún país debido al constante crecimiento de las poblaciones, a los avances científicos y tecnológicos, y también al por ciento de marginalidad que siempre ocurre, ya sea escogida por los propios que la padecen o por una injusticia temporal, que con los cambios de gobiernos democráticos, termina por resolverse.

A su llegada al poder, y a pesar de todas las condiciones descritas, el nuevo régimen revolucionario proclamó demagógicamente que había enormes deficiencias en los servicios de salud del país y declaró que procedería de inmediato a realizar los cambios que se necesitaban.

Como si los servicios no estuvieran al alcance de todos y con gratuidad, el régimen intervino por decreto todos los centros asistenciales del país con el argumento de que lo hacía para garantizar el servicio igualitario para todos los ciudadanos. A seguidas de la intervención procedió a rebautizar todas las instalaciones médicas existentes con nuevos nombres de connotación revolucionaria, lo que ya los hacían aparecer ante el público desconocedor como una nueva obra del régimen. También inauguró como obra propia los casi terminados Hospital General Nacional y el anexo al Hospital Infantil en La Habana, y el Hospital Provincial de Santiago de Cuba.

De hecho puede decirse que las construcciones hospitalarias del régimen cubano fueron mínimas. Lo que hizo fue aprovechar, no sólo las instalaciones públicas, sino también las privadas, incluyendo las consultas de médicos que tenían un ejercicio privado, y anotándolas como éxitos de su proceso revolucionario.

Un segundo aspecto fue el establecimiento de un programa designado como la Medicina al Campo, para ser desarrollado con los nuevos alumnos que se iban graduando en la Facultad de Medicina de la Universidad de La Habana. El que los recién graduados rindiesen un servicio social que completara su formación profesional, parecía una idea atinada, que de hecho recibió aplausos internacionales. Pero la realidad es que dicha medida fue puramente demagógica y para la galería, porque se proclamó el programa antes de que se hubiera creado la infraestructura necesaria con la que se pudieran obtener resultados. De hecho aquello languideció con mínimos beneficios nunca divulgados, aunque ganó una medalla de falso mérito en los haberes revolucionarios. Tras sus dos años de servicio social estos jóvenes profesionales eran situados en los diversos niveles del nuevo sistema médico nacional con un sistema no exento de discriminación política.

A los nuevos graduados en la Facultad de Medicina les quedó prohibido el ejercicio privado de la profesión. Se les decía que pertenecían a las promociones revolucionarias que debían agradecimiento a la Revolución por sus estudios, y que ésta los iría colocando en los sitios de fueran necesarios. El ejercicio privado de la medicina sólo quedó permitido para los graduados anteriores a la fecha de cambio. Pero el régimen siguió manipulando para su reducción y eliminación a través del control de equipos y suministros, del que sólo se salvaban algunos médicos muy prestigiosos para el servicio de la clase dirigente. Esto trajo como consecuencia la emigración masiva de profesionales que deseaban seguir sirviendo a la sociedad en sus capacidades.

EL TERROR

Todos han escuchado que el terror y la propaganda son las únicas cosas que funcionan con eficiencia en un régimen comunista. Pero es indiscutible que el terror es lo más importante porque está más relacionado con el mantenimiento del poder. Y Cuba no ha sido la excepción.

La Seguridad del Estado de Cuba, no sólo ha mantenido a Castro en el poder, sino que se ha ganado un reconocimiento internacional entre las policías totalitarias por su capacidad represiva, y esto es algo bien curioso. Que la Stasi de la República Democrática Alemana alcanzara sus elevados niveles represivos, puede explicarse parcialmente porque Alemania conoció a la Gestapo. Que la KGB soviética lograra el infamante prestigio de sus crueldades y asesinatos, puede explicarse porque Rusia ya había conocido la Seguridad zarista. Pero que la policía política de un pueblo pequeño, con tradición solidaria, y sin antecedentes tan profesionales en su propio patio, haya logrado prestigiarse tan alto en la innoble profesión de los esbirros y sicarios, llama poderosamente la atención. Es cierto que la Seguridad del Estado Cubana ha contado con el asesoramiento de sus filiales comunistas, pero no cabe duda que ha sido una alumna aventajada.

Desde los primeros momentos el organismo empezó a proyectarse a través de rumores como un cuerpo tenebroso y extremadamente eficiente que se enteraba de todo y determinaba quienes debían ser llevados al paredón de fusilamiento. Y como la prensa publicaba prominentemente todas las noticias referentes a los fusilados en los fosos de La Cabaña, la gente tenía motivos para creerlo. La creación de los Comités de Defensa de la Revolución, a nivel de cuadra y en centros de trabajo, añadió más temores y contribuyó a aumentar la paranoia general. Por otra parte la desconfianza que gran parte de la ciudadanía empezó a sentir ante las sospechosas acciones del régimen, hacía que cada discrepante perdiera su paz interior y sintiera que se iba adentrando en un grave peligro. También Castro contribuyó a ello con discursos furibundos y coléricos, en los que amenazaba a supuestos enemigos emboscados y contrarrevolucionarios con el paredón de fusilamiento. Y como muchos ya se iban sintiendo contrarrevolucionarios, se sentían retratados y creían que se les estaba acercando la detención y también la pena capital. La cosa arreció cuando Castro definió que no se podía ser neutral, y que el que no estaba con la revolución, estaba en contra de ella, y tenía que ser considerado como un enemigo. También los que habían vencido el miedo y se habían decidido a realizar actividades clandestinas experimentaban esta angustia diariamente, pero continuaban su lucha con valentía.

En realidad la Seguridad del Estado de los primeros tiempos se apoyó mucho en las informaciones que le llegaban de los Comités de Defensa y las Milicias Nacionales Revolucionarias. Pero además tuvo golpes de suerte por la realización de operativos grandes y masivos. De hecho un cuerpo especializado como ese no se puede improvisar en una semana, y tomó algún tiempo el que llegasen asesores del mundo socialista para entrenar a los cubanos. También se inició una estrategia de infiltrar los movimientos clandestinos que laboraban en contra del régimen. Esta última estrategia dio pocos resultados al principio, pero cuando el tiempo se alargó, estos infiltrados fueron muy útiles para el apresamiento de grandes grupos. Para entonces ya la Seguridad del Estado tenía refinados métodos de tortura física y sicológica que destruían la personalidad del detenido. Más tarde la Seguridad vino a reforzar públicamente su supuesta omnipotencia con una mezcla de datos y publicación de supuestas causas espectaculares que demostraran su eficiencia.

El paredón tuvo su tiempo durante los primeros años, pero aquello no podía durar si es que el régimen quería mantener una opinión pública internacional favorable. El Presidio Político fue su sustituto para continuar alimentando el terror con la aplicación de increíbles y largas condenas. La Fortaleza de La Cabaña, el Castillo de San Severino, el Presidio de Isla de Pinos, la cárcel improvisada de Topes de Collantes, la Cárcel de Boniato, y muchas otras, se convirtieron en la temida posibilidad de una reclusión infinita. Más tarde sobrevino el trabajo forzado con extenuantes jornadas de trabajo esclavo, y sometidos a una violencia planificada para destruir la resistencia moral y física de los prisioneros y que declararan un arrepentimiento por su lucha contra el régimen. Esta situación duró por muchos años, y con ella ocurrió como con el holocausto judío en los crematorios hitlerianos, que si alguien escuchaba algo sobre el asunto prefería cerrar los ojos para no ver.

LAS RELACIONES EXTERIORES

(Tema específico de la Revolución Cubana e imprescindible para definir el contexto internacional que la hizo posible).

El comunismo soviético, el nacional socialismo alemán y el comunismo chino surgieron como fenómenos internos de Rusia, la Alemania nazi y la República China, que por su gran población y poderío militar y económico, pudieron remodelar sus países sin injerencia ni vulnerabilidad ante otros factores internacionales.

Pero el totalitarismo también puede ser impuesto por grandes fuerzas políticas, que violando la soberanía de un país, lo invaden o subvierten y le imponen su sistema totalitario. Así hicieron la URSS, la Alemania nazi y la República Popular China con los países próximos que estaban bajo su zona de influencia.

En el caso cubano el totalitarismo no fue impuesto por ninguna potencia extranjera, sino que resultó de los propios factores internos del país. La isla había tenido fuertes nexos con los E.E.U.U. por razones históricas, económicas y de proximidad geográfica, que representaban muchos beneficios para nuestra república, y los cuales hubiera sido inteligente mantener. Mas Fidel Castro, abusando de su poder ilimitado en un país desarticulado políticamente, llegó dispuesto a fabricar una enemistad con los E.E.U.U. para obtener una mayor relevancia política internacional. Pero también comprendió que para hacerlo necesitaba el respaldo de otro poder mundial, que con su capacidad de confrontación, lo protegiese de una posible agresión. Cuba estaba bien remota del área de influencia del totalitarismo soviético, y no había antecedentes en que fundar esa nueva relación, pero el apoyo de los soviéticos sería ideal, porque ellos nunca le plantearían conflictos a Castro por su permanencia indefinida en el poder, y el Kremlin se sentiría muy satisfecho de poder establecer una cabeza de playa en el continente americano. Para los soviéticos, además, la jugada era perfecta puesto que no vendrían como subversivos sino como protectores de un proceso que disfrutaba de la simpatía internacional. Así Castro le dio la entrada al factor internacional que fue determinante para su consolidación y permanencia. También influyó para que un país pacífico, y que sólo había tenido acciones armadas para su defensa, se convirtiera en agresor y adquiriera la capacidad que sólo tenían las grandes potencias totalitarias, de subvertir otros regímenes democráticos para generar en ellos nuevos regímenes totalitarios. Por eso es que la existencia y desarrollo de la Revolución Cubana resulta un caso sui generis, para cuyo análisis y comprensión, es imprescindible reconocer la actuación de los distintos factores internacionales.

En primer lugar debemos hablar del fenómeno propagandístico, totalmente inusual y de enormes proporciones, que proyectó los acontecimientos políticos de Cuba y exaltó la figura de Fidel Castro a nivel mundial. No es menos cierto que lo ocurrido en la isla merecía la atención en el momento de producirse los hechos que derrocaron al régimen de Batista, pero el que esa atención se mantuviese de forma sostenida, con tono admirativo y sin actitud crítica durante años por gran parte de los medios informativos, no sólo es sospechosa, sino además culposa. Esa parcialidad adquiría mayor gravedad por el hecho de que silenciaba otros hechos simultáneos que estaban ocurriendo en el interior de la isla, como eran las demandas de institucionalizar para el restablecimiento democrático, la abolición progresiva de todos los derechos, las intervenciones de los medios de prensa, las asociaciones, los comercios, los servicios, las industrias y las escuelas privadas. Así como la conjunción de acciones concertadas y permanentes para asfixiar la práctica religiosa y las iglesias, y cuya evidencia más visible fue la monstruosa prohibición de celebrar la Navidad.. También se silenció la lucha armada irregular, que se inició y mantuvo por años, como único medio de expresión frente a los desmanes totalitarios. Calló sobre la inhumanidad de ingentes presidios explotados en régimen de esclavitud. Cuando no pudo silenciar hechos públicos, como el desembarco de cubanos armados en la Brigada 2506, se aplicó con asiduidad a la descalificación injusta de esos patriotas como simples *mercenarios* al servicio del imperialismo yanqui. La prensa internacional siempre se quedaba en la superficie aparente de los acontecimientos en la isla, sin indagar ni revelar las manipulaciones totalitarias del régimen. Y desprestigiando durante cuarenta y cinco años al sacrificado y heroico exilio cubano.

Lo habitual fue que todas las informaciones de prensa reflejaran siempre las versiones oficiales del régimen cubano sin cuestionamientos de ninguna índole. La problemática cubana tenía un sólo rostro con barbas, idealista y heroico; también repetía sin reflexión que dicho estadista tenía el apoyo de todo su pueblo y que no tenía ningún tipo de oposición. Y cuando las evidencias de la acción opositora no podía ser ocultada, hacían referencia a ella con los términos peyorativos y denigrantes acuñados por el régimen. Por otra parte la adhesión del castrismo a la desprestigiada URSS, y su ostensible y continuado servilismo a los intereses soviéticos, ni siquiera merecían censura. Es imposible encontrar justificación para esta actitud absolutamente parcial y sostenida que apañó la tiranización de Cuba e influyó, y aún ejerce su efecto, sobre la opinión pública mundial.

Pero hay otra culpa que pesa sobre esa prensa adocenada, y fue su efecto sobre el pueblo cubano. Todo pueblo tiene un elevado por ciento de miembros que no analizan ni disciernen el pleno significado de ser *ciudadano* en una democracia. Para ellos el país es la circunstancia en que se encuentran inmersos, dentro de la cual han encontrado su *modus vivendi*, y donde no es necesario adentrarse en el significado y realización de los conceptos cívicos y democráticos. También existen otros miembros que no han alcanzado aún una situación estable y por tanto viven sometidos a una provisionalidad que los deshumaniza. Precisamente la tarea de la democracia, que no es un *status* sino una *dinámica,* es ir perfeccionando su sociedad por acciones sucesivas. Por ello es que al advenimiento y primeros desarrollos de la situación revolucionaria, gran parte del pueblo se debatía inseguro entre lo anterior conocido y lo desconocido que estaba proponiendo el régimen, y hacía el balance sobre lo que sería más conveniente para sí. Y aquí es donde los ecos atronadores y favorables al régimen cubano, voceados por buena parte de la influyente prensa internacional, colocaron su onza en la balanza para decidir a muchos dubitativos.

Por otra parte el momento de llegada de la revolución cubana al escenario político determinó, en parte, su curso y su permanencia en el poder. La realidad de entonces era un mundo bipolar que vivía la posibilidad diaria de un cataclismo atómico. Y por ello todo lo que ocurría en el mundo se convertía en pieza para el ajedrez de las dos potencias. Sin embargo, en la cuestión cubana, la URSS demostró tener mucho más talento político que los E.E.U.U..

La administración norteamericana no había podido influir sobre los acontecimientos de la isla y sabía que había perdido su influencia en la isla mayor del Caribe. Había sido sorprendida por el masivo apoyo popular que se le concedía a ese régimen. Tenía el mayor interés en restablecer sus buenas relaciones, pero estaba indecisa sobre las intenciones del nuevo régimen que no daba pasos definitorios para su gestión. Por su parte los soviéticos, que estaban confinados a Rusia y al Este de Europa, también querían entrar en el continente americano. Para los E.E.U.U. se trataba de defender una plaza tradicionalmente amiga, y para la URSS se trataba de lograr su maridaje con un régimen fuerte para establecer una cabeza de playa en el continente prohibido.

La indecisión de los E.E.U.U., los eficientes servicios del Partido Socialista Popular para afianzar la toma del poder, el olfato político de los soviéticos, y la ambición sin límites de Fidel Castro para hacerse con un poder permanente, dieron como resultado un cambio radical para el futuro cubano.

Definido el rumbo comunizante de Cuba, la administración norteamericana se dispuso a actuar. Pero los E.E.U.U. no se atrevían a actuar en descubierto porque ello confirmaría la opinión de intervencionista que se le atribuía en el continente. Además que, de hacerlo, la opinión pública internacional los hubiera condenado con grandes costos políticos. Por ello, y confiados en experiencias anteriores, menudearon con una ayuda vacilante e insuficiente para la oposición, pero queriendo siempre mantener el control de sus acciones para manipularlas y poder conducir los resultados al puerto de sus intereses futuros. La URSS, en cambio, puso todos sus recursos militares, económicos y políticos, incondicionalmente en manos de quienes peleando por ellos mismos también lo harían para su permanencia en tierra americana.

Los opositores activos, que desde los primeros tiempos se dispusieron a combatir por su libertad, iban aumentando de forma creciente, y siempre pensaron que esta nueva crisis política era un problema interno del país, y que su solución sólo competía a los demócratas cubanos. Repetimos que su lucha no era contra tropas extranjeras de ocupación, sino en contra de otros cubanos que renunciaban a la democracia, y querían, o servían de instrumento, para imponer la llamada *dictadura del proletariado*. Se trataba pues de una verdadera guerra civil del pueblo cubano.

Lo que necesitaba y pedía la oposición democrática cubana era simple ayuda para igualar el combate. Pero a medida que el apoyo soviético se hacía manifiesto y crecía, la oposición fue comprendiendo que requería más y mejores medios de lucha, porque en el proceso de cambio al sistema totalitario, el tiempo estaba en contra suya y del posible regreso al orden democrático. Pero los únicos interesados y con capacidad de ayudar eran los E.E.U.U., porque el resto del mundo estaba en luna de miel con el castrismo. Y los demócratas cubanos se vieron enfrentados a una la toma de decisión entre aceptar la ayuda interesada de los norteamericanos o resignarse a la implantación del comunismo en su país. No podía haber dudas en la decisión a tomar, pero siempre demostraron que lo hicieron con el propósito de defender los intereses cubanos. La crónica de los hechos pone de relieve el forcejeo cubano con las administraciones norteamericanas de entonces, para actuar con independencia y por el interés de Cuba. Pero desgraciadamente para los demócratas cubanos, el supuesto civilismo ilustrado de John F. Kennedy, sólo sirvió para desprestigiarlos y meterlos en un callejón sin salida política ni militar.

Ya hemos dicho que en Cuba no había existido una gran respuesta a la consigna del «*anti-imperialismo*» lanzada por las asociaciones de la izquierda política. Pero la cosa era diferente en la mayoría de los países latinoamericanos. En esos países el *anti-imperialismo* tenía raíces históricas y era mantenido vivo por algunos sectores radicales.

El régimen cubano, por la lectura de los acontecimientos internacionales, había aprendido que la política de los E.E.U.U. en la Guerra Fría era de pugnacidad contenida, aceptando situaciones de compromiso, pero siempre evitando la confrontación militar. También los acontecimientos de Bahía de Cochinos le dieron al régimen cubano el convencimiento de estar sólidamente respaldado por la URSS. Ambas cosas le confirmaron la solidez de su postura política, pero también le definieron el lado hacia el que debía proyectarse. Por ello se sintió fuerte para proclamar una militancia anti-imperialista del Estado cubano, con lo que se hacía útil a la URSS, por fundar el primer Estado comunista en América, pero de paso también acrecería su jerarquía política liderando un continuo ataque a la primera potencia del mundo. Y a partir de ese momento, Castro, sin reparar en vocablos soeces, se convirtió en el fiscal acusador y detractor sistemático de los E.E.U.U. en su rutina política y en todos los foros internacionales. Es importante destacar, para comprender aquel momento político, que hasta ese momento los E.E.U.U. disfrutaban de un gran respeto internacional, con el lógico ataque de los países socialistas. Pero Castro fue el fundador de la invectiva anti norteamericana que todavía perdura en el mundo. Todo esto, obviamente, le atrajo al régimen cubano una simpatía espontánea por todo el continente.

Ya en el principio del proceso revolucionario cubano se pusieron en evidencia las ambiciones de Castro para convertirse en una figura importante de la arena internacional. Desde los primeros momentos hacía ambiciosas referencias al futuro de Latinoamérica en medio de sus discursos al pueblo cubano, y durante todo el período de proclamación de las llamadas leyes revolucionarias. Pero también comenzó con algunas acciones militares clandestinas. La prensa lo ayudaba divulgando ampliamente sus discursos, donde en vez de expresarse responsablemente como un estadista que promovía cambios sociales sustanciales, lo hacía demagógicamente, como un iluminado social que abominaba de todo el orden existente y convocaba a una utopía. Pero, en cuanto logró tener maniatado al pueblo cubano con la camisa de fuerza del totalitarismo comunista, procedió decididamente a la acción subversiva internacional, e inició el desarrollo de una política internacional digna de una gran potencia mundial. Hasta llegó a convocar congresos internacionales donde se proclamó la inevitabilidad y necesidad de la lucha armada para la solución de los problemas sociales de los países y del mundo, y se acordó la promoción mundial de la subversión. Estos congresos fueron especialmente resonantes por la asistencia masiva de los perseguidos por subversión política de todo el mundo. Es apropiada la aclaración de que todas estas actividades sólo fueron posibles y exitosas por el generoso mecenazgo de Castro a costa del erario cubano El Caribe, Centro América, América del Sur, y hasta los E.E.U.U. experimentaron la subversión, como también más tarde, algunos lugares de Asia y en numerosos países de África.

Su prédica subversiva tuvo su éxito más notable en el área latinoamericana. Allí se encontró con el terreno abonado por un hastío general ante la ineficiencia y las lacras gubernamentales de esos países, que habían llevado a una pérdida de prestigio del sistema democrático capitalista. Por ello había un estado de opinión bastante extendido, de que hacían falta revoluciones como la de Cuba para que se reprodujeran las supuestas y pregonadas conquistas del pueblo cubano. Y era cierto que hacían falta grandes cambios sociales y políticos, pero la conclusión final de copiar a Cuba era lo que constituía un suicidio. Digamos de paso que una vez que se materializó el total control del pueblo cubano, y hasta el día de hoy, la situación en la isla ha quedó congelada sin ningún cambio ni posibilidad de desarrollo. El régimen no ha demostrado el menor interés en resolver con realismo los grandes problemas que el pueblo experimenta a diario, y sólo se atrinchera en el dogmatismo comunista que le garantiza la continuidad del poder.

Con lo que se demuestra que el significado de la Revolución Cubana para Castro, es el de tener una simple base territorial para sostener las operaciones que satisfacen sus ambiciones. Hasta nuestros días mucha prensa latinoamericana, asociaciones sindicales e intelectuales, han mantenido la vigencia e influencia popular del castrismo sin la honestidad de contrastarlo con la realidad cubana de la isla.

Un análisis de las motivaciones que han tenido los gobiernos latinoamericanos para relacionarse con el régimen castrista, demuestra muy pocas razones honestas. Todos parecen temer que se les acuse de llegar al poder con prejuicios anticastristas, y fingen un olvido total de los males que el castrismo ha provocado en sus propios países. Por ello asumen una pasmosa neutralidad para la permanencia de ese foco subversivo, socializan con él como uno más en las cumbres políticas, le conceden prioridades de protocolo por ser el tirano con más años en el poder, y le permiten desacreditar las declaraciones conjuntas con firmas que después no le implican compromiso. Y a los cuatro años le sucede un nuevo presidente que también llega con las mismas actitudes. La norma, casi total, ha sido no pensar en los peligros que el cáncer social del castrismo representa, se alegran cuando su virulencia parece bajo control, y se sorprenden cuando resurge como metástasis en otro país del área. Pero lo más grave, es que también lo consideran como algo conveniente, porque unas simples relaciones o un voto en foros internacionales, pueden usarse como chantaje para sonsacar beneficios de los E.E.U.U..

* * *

AUNQUE NUESTRO ENSAYO SE DETIENE EN EL MOMENTO DE LA CONSOLIDACIÓN TOTALITARIA, Y NO DESARROLLA ACONTECIMIENTOS DE LAS DÉCADAS DEL 70, DEL 80, NI DE LOS 90, ES INELUDIBLE QUE HAGAMOS UNA EVALUACIÓN DE LOS RESULTADOS DE LA REVOLUCIÓN CUBANA.

ES CIERTO QUE HUBO TIEMPOS MEJORES QUE LOS QUE ACTUALMENTE SUFRE LA NACIÓN CUBANA, PERO NO LO FUERON POR VIRTUDES DEL RÉGIMEN REVOLUCIONARIO, SINO POR EL SUSTENTO INTERNACIONAL QUE PAGABA LOS SERVICIOS POLÍTICOS. PERO CUANDO SE HA LLEGADO A LA NORMALIDAD, EN QUE EL PAÍS TIENE QUE ASUMIR SU EXISTENCIA, PERMANENCIA Y DESARROLLO POR SUS PROPIOS MEDIOS, ES QUE SE REVELA TODA LA VERDAD SOBRE LA REVOLUCIÓN QUE HA MALGASTADO EL SACRIFICIO DEL PUEBLO CUBANO DURANTE 46 AÑOS. Y POR ELLO NOS ES LÍCITO CONTRASTAR LOS RESULTADOS DE CASI MEDIO SIGLO DE PODER TOTALITARIO CONTRA LAS RAZONES ORIGINALES QUE CASTRO ARGUYÓ PARA CONVOCAR LA REVOLUCIÓN QUE QUERÍA DIRIGIR.

* * *

LA DISCUTIDA ESTABILIDAD
DEL RÉGIMEN CUBANO

Y a sabemos que la utopía está reñida con la condición humana. Se la puede implantar y tratar de sostenerla por un tiempo, pero la vida termina por derrotarla. Pocas veces es una derrota en las urnas de votación, porque como ya sabemos, el totalitarismo siempre llega con la voluntad de permanecer para siempre, y los cambios nunca están en su agenda. Puede ser desplazado del poder por una fuerza mayor que se sienta perjudicada en sus intereses. Pero lo más frecuente es que un totalitarismo se vaya desintegrando y perdiendo sus poderes a medida que va fracasando y se va hundiendo en un caos de todo tipo. Y esto es lo que está sucediendo en Cuba.

La primera crisis de una utopía es inmediata, desde los mismos inicios de su instauración, y es la *crisis de la productividad* del país. Esto ocurre porque al tomar la propiedad de todo, el régimen también tiene que asumir todos los planeamientos y las gestiones que antes realizaba el conjunto de la ciudadanía, y ello es imposible. Así el régimen queda convertido en cuello de botella que estrangula todos los flujos productivos. El régimen opresor siempre trata de amortiguar este efecto prometiendo que sólo será algo temporal, y que muy pronto, la nueva sociedad liberará la creatividad y eficiencia de la ciudadanía por los nuevos canales sociales. Pero esto nunca se permite porque siempre traería gérmenes libertarios. Y Cuba lo ilustra a la perfección, ya que en casi medio siglo de gestión, y a pesar del generoso mecenazgo soviético por treinta años, no ha logrado un restablecimiento aceptable de la productividad. Lejos de mejorar, el país ha visto destruidas sus industrias básicas sin encontrarles sustitución por otras nuevas. A nivel de cada ciudadano esto se traduce en multitud de nuevas carencias materiales que anteriormente habían estado resueltas. Todo comienza a estar regulado y controlado centralmente, sin alternativa posible, por una burocracia lenta y sin motivación. También agudiza esta crisis la desaparición de muchos servicios que liberaban tiempo para ser dedicado a otras necesidades o intereses personales, y que ahora deben ser sacrificados. Con el tiempo se llega a comprender que todas estas carencias son sistémicas y sin solución practicable, por lo que propician un sustrato social de angustia. Mas esta crisis, por sí sola, no destruye a un régimen totalitario. Sólo complica la vida e involuciona al país hacia etapas del pasado.

Aunque siempre hay un caudillo que lo impone, todo totalitarismo necesita un equipo humano que le sirva administrando los controles de la sociedad sometida. Este equipo comienza con una conciencia de servidor público, pero poco a poco, se va transformando y cobrando conciencia de grupo privilegiado que no está expuesto a los vaivenes que acarrea el diario vivir en la utopía, y llega a ser y a sentirse como clase dominante con mejores derechos que el resto de la sociedad. Igual ocurre, aunque en mayor escala, con quienes habiendo nacido dentro del privilegio, y sin otra experiencia social, se sienten parte de un delfinado de estilo nobiliario que los separa del resto. Todo esto es un hecho inevitable segregado por los totalitarismos, pero constituye su crisis más grave, que es el fraude *de la igualdad* con que se quiso justificar la fundación.

Otra crisis de importancia es la *crisis de la moral y la razón*, que corroe la moral personal y desquicia la razón del individuo. A medida que se va haciendo inseguro el uso de la razón y la discrepancia, se alargan los silencios. Y cuando el régimen hace explícito que su militancia es obligada y sin neutralidad posible, hay amplios sectores que convierten sus silencios en mudez. Pero también empieza a germinar la idea, y enseguida, la semilla de una doble moral, que convierte la vida de todos en un estado de alerta permanente para transigir con lo que no se siente. Hay quienes no pueden resistir ese stress permanente, racionalizan su situación para cruzar la línea, y se convierten en militantes sin reflexión. Y los más, formados con escrúpulos irrenunciables, sólo pueden resignarse a mal andar la vida como un castigo diario. Mas la racionalidad y la moral natural de la persona no se rigen por la moda, ni han sido hechas para el clandestinaje, sino para culminar el sentido de la vida, y es por ello que el totalitarismo provoca una crisis existencial en cada ciudadano. Pero la sumatoria de todas estas crisis, por sí sola, con todo y lo astronómica que resulta, tampoco arroja el resultado de una transición.

La doble moral conduce a la sospecha sistemática de todos los demás, y por tanto a la disgregación de la sociedad. El alto voltaje de todos los circuitos totalitarios, que el régimen demuestra y fomenta con sus acciones, genera una férrea disciplina a causa de los miedos concretos, pero también de los imaginados. Todo se interpreta y se responde con la radicalidad máxima del fundamentalismo político. Y una vez que falta el sentimiento solidario se resienten los mecanismos sociales, y se deshumaniza la convivencia. Pero esta degeneración del pacto social, o *crisis de la solidaridad*, tampoco precipita una transición.

La *crisis de fe* en el sistema es de las más cáusticas. No se trata sólo de creer que el sistema totalitario no puede resolver los grandes problemas, sino sobre todo, que su régimen no tiene interés en resolverlos. En Cuba esto está ejemplificado sobradamente por la libreta de abastecimientos y la escasez de la vivienda, que se refieren a las necesidades más elementales de la ciudadanía. En cuarenta y cinco años de totalitarismo, no sólo no han sido resueltos, sino que ni siquiera han sido aliviados.

La *crisis de esperanza*, que también puede ser llamada la *crisis de futuro,* es un corolario de la *crisis de la fe*. Esta *crisis de esperanza* sobreviene automáticamente a continuación y como consecuencia de la anterior. Ocurre cuando se llega a la firme conclusión de que todas las carencias son definitivas y para siempre. Es sumamente importante, y sobre todo para la juventud, porque todo desarrollo humano tiene como divisa el logro de un futuro mejor que se desea y se trabaja para alcanzar. Sentirse acorralado y sin solución llega a desesperar a una persona y llevarla al borde de la locura. Y está perfectamente demostrado por el permanente éxodo de cubanos que atraviesan un mar incierto en balsas improvisadas, arriesgándolo todo a la posibilidad de llegar a una tierra de libertad.

La *crisis de ortodoxia* sobreviene cuando un régimen totalitario tiene que hacerle remiendos a su dogma original por razones de supervivencia. No se trata entonces de un simple cambio normal, sino de una verdadera apostasía que ofende la utopía social y debilita la estructura. Todo el que ha aceptado sacrificios por la utopía se desencanta frente a la colusión del sistema totalitario con formas de producción proscritas para el ciudadano común. Y esto ocurre en Cuba con la aceptación de inversionistas extranjeros, y el mantenimiento de empresas estatales operadas por privilegiados del régimen.

El padecimiento simultáneo de todas estas crisis no ha sido suficiente para un cambio en Cuba. Pero sí le imprimen a la sociedad de la isla una enorme compresión social donde cualquier incidente puede producir una falla que precipite el sismo social. El único recurso del régimen es la fuerza, pero debe tenerse en cuenta que es una fuerza en depreciación. La costumbre nos deja ver un régimen sólido y estable, pero ningún régimen totalitario lo está, porque el territorio de su asiento siempre está cruzado de fuerzas tectónicas, que aunque no sean de predicción exacta, lo hacen proclive a la catástrofe sísmica.

UN BALANCE PARCIAL DEL PROCESO CUBANO

Y aunque el tiempo de Fidel Castro todavía está corriendo, es oportuno plantearse un ligero balance de su legado. Es indiscutible que su acción rebasó las fronteras de Cuba y de la América Latina, y hasta alcanzó territorios de Asia y África. Pero su legado internacional no es el propósito de este ensayo, que sin duda ocupará a muchos de todos los bandos tras el deceso. Aquí sólo corresponde hacerlo con respecto a Cuba, que era la obligación que le entregó el pueblo de Cuba con un apoyo multitudinario, y donde lleva ocupando el poder desde hace cuarenta y cinco años, lo que es un tiempo más que suficiente para pasar balance a los resultados de su gestión.

Iniciémoslo con el repaso de las motivaciones en que justificó su lucha armada. Su gestión se inició con una gran ilusión del pueblo por la promesa de que habría un renacimiento de la república mediante una forma democrática de gobierno que respetase los derechos individuales, pero esta ilusión pronto quedó disipada por una dinámica inconsulta en pro del totalitarismo. Otra de las justificaciones proclamadas para su lucha armada fue la eliminación de las lacras y la corrupción política del país, pero después de cuarenta y cinco años su gobierno representa el régimen más corrupto que ha tenido Cuba, donde existen todas las formas de corrupción como el nepotismo, el favoritismo, la malversación de fondos y el peculado. Esto es especialmente evidente por el reciente descubrimiento de cuentas millonarias injustificadas en bancos suizos. A esto se deben añadir numerosas propiedades a nombre de Castro o sus familiares en diversos países, y otras cuentas disfrazadas que aún requieren más investigación de los peritos financieros.

También se esgrimió la decadencia moral del país por el juego y la prostitución, y se acuñó un título peyorativo para La Habana como el burdel de los E.E.U.U., magnificando irresponsablemente lo que es un mal social de todas las ciudades turísticas. Y ahora desgraciadamente, bajo la presión de una necesidad absoluta de lo más elemental, se ha desarrollado una prostitución que hasta se atrae la complacencia familiar. Pero además, y es la prueba de la complicidad del régimen, la prostitución cubana es objeto de una propaganda oficial que ofrece un turismo erótico en la isla, y que ha convertido a La Habana en uno de los burdeles más codiciados del mundo.

Es cierto que no se ha desarrollado el juego con las consecuencias colaterales que éste genera, pero en su lugar hay que añadir la complicidad, ya establecida, del régimen cubano con algo mucho más grave, como es el tráfico internacional de drogas para la obtención de divisas.

Se argumentó el desarrollo industrial del país, pero lo que ha ocurrido es la destrucción paulatina de las industrias básicas del país.

Se habló de la reparación de las injusticias sociales de todo tipo. Desde un reajuste de las formas de producción y la remuneración, la solución de la discriminación racial, la vivienda y el pleno empleo. Se han modificado las formas de producción hacia otras nada eficientes, pero ni la remuneración alcanza para vivir, la discriminación racial se ha hecho más aguda, el problema de la vivienda es más crítico que nunca, y el desempleo es rampante en todo el país.

Pero vamos a detener este balance de resultados con base en los planteamientos originales que se esgrimieron para justificar la lucha armada, y por lo tanto, en los que se debía fundar su nueva república.

Durante algún tiempo pudo haber duda de que alguno de estos fracasos fuera debido al embargo norteamericano, y así lo pregonaba el régimen cubano. Mas después de los años setenta y los ochenta, cuando este embargo se convirtió en algo simbólico que no limitaba a ningún otro país para el comercio con Cuba, ni la obtención de capitales en el Club de París, el fracaso regresa indubitablemente a la incapacidad del régimen cubano de organizar una república que pudiera hacerle frente a sus necesidades y sin necesidad de limosnas internacionales.

Internacionalmente se le suele dar al régimen cubano un crédito ciego por sus supuestos «logros» en el terreno de la educación y la salud del país. Es cierto que el régimen creó ambiente y motivación para un mejoramiento de ambos aspectos, pero se demoró años en hacer sus primeras inversiones para mejorarlos. Pero todo lo que se hizo durante los primeros años fue basado en las infraestructuras de educación y salud que ya existían en el país. Sin embargo a través de la propaganda, el régimen logró que desde el mismo principio de su gestión, la opinión pública mundial le diera el crédito completo de lo que no había hecho, y había sido el esfuerzo continuado y silente de muchas generaciones de profesionales responsables. Con posterioridad y forzado por un crecimiento de la población, que también habría obligado a cualquier otro gobierno, el régimen comenzó a hacer inversiones con ayuda internacional. Esta etapa se logró gracias al mecenazgo soviético, y terminó con el cese de la ayuda de Moscú. Pero el panorama actual de la educación y la salud en el país ofrecen un cuadro de desolación con escuelas abandonadas y vandalizadas, y hospitales sin abastecimiento de equipos ni medicinas para atender a los nacionales. Sin embargo, y para mantener un falso prestigio, el régimen ofrece numerosas becas internacionales y mantiene hospitales, bien provistos, pero exclusivos para turistas y pacientes extranjeros que pueden pagar los servicios en divisas internacionales.

Un aspecto válido y confiable para juzgar el verdadero resultado y mérito de la educación y los cuidados de salud en la Cuba revolucionaria, es recordar que el régimen totalitario lleva en el poder un tiempo mayor al que hubieran ocupado 11 administraciones democráticas. Hay que comprender además que los distintos partidos políticos de cada una de estas administraciones, y aunque sólo fuera para mantener su vigencia en el país, siempre hubieran tenido que mostrar todo tipo de resultados al final de su período de gobierno. Y no cabe la menor duda de que los resultados que Castro puede mostrar en las áreas de la educación y la salud están muy por debajo de la suma de resultados que hubieran producido las 11 administraciones democráticas, más los resultados que sin duda hubiera producido la iniciativa privada. Y todo ello sin el sacrificio de las libertades y los derechos humanos.

A propósito de un balance hay todavía más que decir. Se trata de algo que no se puede medir pero es aniquilante para los pueblos. Nos referimos al sentimiento de derrota y frustración y de inutilidad del esfuerzo realizado, que el régimen deja en varias generaciones de cubanos que creyeron en la bondad de un sistema y se sacrificaron por el, y ahora al final del camino, se encuentran con la realidad de que sólo han sido usados para el beneficio personal de un tirano que no los considera ni respeta.

CONTEXTO INTERNACIONAL DE LA REVOLUCIÓN CUBANA

L a lucha de los demócratas cubanos ha sido un camino accidentado y cuesta arriba. Su enemigo no ha sido sólo la cúpula gobernante y los compatriotas manipulados como simples instrumentos de la ambición totalitaria. También ha habido enemigos en el exterior.

El de más peso fue la URSS aliada con los regímenes que mantenía sometidos en la Europa Oriental, que lo hizo por motivos ideológicos y porque obtenía grandes beneficios por su apoyo al régimen cubano. Pero aparte de esta enemistad lógica y pública existen muchas otras actitudes que pueden parecer amistosas pero tampoco lo son, y nos referimos en primer lugar a los E.E.U.U.

En el tiempo natural para el combate efectivo frente al castrismo, que fue en los primeros años, los norteamericanos ofrecieron su ayuda para compensar la desigualdad que representaba la ayuda masiva soviética que estaba recibiendo Castro. Sin embargo esta ayuda fue sumamente exigua, y al mismo tiempo, utilizada como medio de control y manipulación de una guerra en que sólo estaban muriendo los cubanos, **y eso no fue una práctica amistosa**. Cuando Castro, queriendo ocultar la guerra civil en la isla, proclamó que la problemática cubana no era más que una lucha entre la Revolución Cubana y el imperialismo norteamericano, los E.E.U.U. aceptaron la simplificación sin reclamar créditos para los luchadores del pueblo cubano, y eso, no sólo no era la verdadera interpretación de los acontecimientos en la isla, sino que además influyó muy desfavorablemente en la percepción y evaluación que el mundo tuvo sobre la cuestión cubana durante muchos años, **y eso fue una falta de respeto hacia los demócratas cubanos**. Más tarde, y porque controlaban la logística y el transporte, los norteamericanos decidieron la estrategia, el momento y el lugar de desembarco de la Brigada 2506, y cuando algunas cosas empezaron a fallar y se necesitaba la cobertura aérea prevista para esa situación, el presidente Kennedy cambió de opinión, y con ello decidió la derrota de la mayor fuerza militar con que ha contado la lucha contra el castrismo, **y eso fue una traición.** Año y medio después, y por sus devaneos e inseguridades, el presidente Kennedy tuvo que afrontar la Crisis de Octubre, y su mejor solución fue sacrificar la lucha del pueblo cubano con compromisos políticos que le requirieron un patrullaje norteamericano en el estrecho de la Florida, para impedir las acciones comando de los exilados sobre las costas de la isla, **y no fue honesto disponer así de la libertad del pueblo cubano.** Cuando años después los Hermanos al Rescate realizaban una labor humanitaria con aviones civiles para ayudar a los balseros que escapaban de la isla, y el régimen cubano ordenó su derribo con aviones militares en forma artera, desafiante y pública, y los E.E.U.U., con pleno conocimiento de las intenciones del derribo, lo permitieron impasibles y sólo respondieron con una simple declaración de condena, hay que concluir que **eso fue complicidad con un crimen.** Es cierto que las potencias no tienen amistades sino intereses. Pero ocurre que en los conflictos internacionales los E.E.U.U. se identifican enseguida con los demócratas y les prometen su ayuda, pero demoran mucho en discernir cuáles son sus verdaderos intereses, y en lo que ello se produce, contribuyen a radicalizar los procesos y comprometer públicamente, y sin retorno, a amplios sectores de la población. Y ha sido demasiado frecuente, que a mitad del camino, los E.E.U.U. decidan retirar su apoyo original, y lo hacen para asombro de todos. Esto ocurrió en Hungría en los años 50 y en el centro de Europa, en Cuba en los 60 y en el centro de América, en Vietnam en los 70 y en el sudeste de Asia y en Angola en los 80 y en el centro de África. Como puede verse nada de lo anterior corresponde con la amistad que se le supone a los E.E.U.U., y demuestra lo poco confiables que son como aliados. Y siempre es oportuno recordar que en política los apoyos no se miden por las condenas ni por las intenciones expresadas, sino por los resultados.

La aceptación irresponsable y tácita de los E.E.U.U. de que la problemática cubana no era un problema interno entre gobernante y pueblo, sino una pugna internacional entre la revolución y el imperialismo norteamericano, condicionó la actitud de muchos países en detrimento de la causa democrática cubana. Como además se estaba en medio de la Guerra Fría, y los E.E.U.U. ya habían aceptado la permanencia del comunismo en Cuba, los países europeos, menos poderosos, se consideraron desplazados del tema, además de que no tenían interés en irritar más a la URSS con disputas sobre su valiosa presa en América. Es de recordar que los países europeos tenían experiencia vital dentro del totalitarismo por haberlo padecido. Pero si bien aprovecharon la situación para abstenerse del tema político cubano, no fue así con las actividades económicas. Muy pronto se decidieron a entrar en el mercado cubano que había sido abandonado por los norteamericanos, y que el pregonado embargo no tenía la capacidad de impedir. Así duraron las cosas hasta que el desmantelamiento de la URSS hizo que Castro tuviera problemas para el pago de sus adeudos con el Club de París. Entonces, sin Guerra Fría y con las deudas atrasándose, llegó la hora de interesarse por el restablecimiento del mercado cubano. Y así lo estamos viendo con los países de la Comunidad Europea.

Pero España merece un párrafo aparte. La mayor parte de la población cubana blanca o mestiza tenía ascendencia española. Las guerras por la independencia de Cuba contra España fueron las más largas y encarnizadas del continente, pero acorde con el espíritu conciliador del Manifiesto de Montecristi que produjeron Martí y Gómez, los cubanos olvidaron pronto las crueldades a que se vieron expuestos durante sus tres guerras y recuperaron un sentimiento familiar hacia todo lo español. Durante los primeros treinta años de república independiente hubo una gran emigración de españoles a la isla que fueron recibidos con los brazos abiertos, encontraron su medio de vida y allí formaron familia. El vínculo espiritual de los cubanos con España era profundo y fuerte. No lo era tanto desde el lado español, que sólo seguía lamentando la pérdida de «su Cubita bella». Pero la llegada de Castro al poder, un hijo de soldado español durante la última y definitiva guerra, precipitó unos cambios increíbles por parte de España. El régimen de Francisco Franco, que había defendido a España del totalitarismo comunista, encontró muy natural el convivir cordialmente con Fidel Castro mientras daba la espalda a los refugiados que llegaban de Cuba. Se especula que lo hizo para satisfacer rencores antiguos hacia los E.E.U.U., pero la presencia destacada de Cuba en la historia de España, la familiaridad demostrada por los cubanos hacia España y el anticomunismo militante del caudillo, debían haber pesado más y prevalecido para decidir la actitud de España en la problemática cubana.

Pero si la infidelidad de España fue dolorosa para los cubanos, no lo fue menos la que demostraron los países hermanos de su propio continente americano. A pesar de ser el último país en llegar a su independencia, y que tuvo que obtenerla sin ayuda de ninguna de las antiguas colonias españolas, Cuba demostró sobradamente su solidaridad con las mejores causas latinoamericanas, se destacó en la creación de organismos regionales, y cubanos de talento contribuyeron a dotar al mundo de mejores instrumentos de justicia. Cuba además siempre dio refugio y abrigo a los demócratas perseguidos, y mantuvo sus brazos abiertos para sus pueblos hermanos del continente. Sin duda que todo ello fue influido por la impronta moral y solidaria que nuestros próceres, y especialmente José Martí, aportaron a la fundación de la república. Por la mejor comunicación con la metrópoli, por la escala obligada de las flotas españolas en el puerto de La Habana, y por la necesidad de aprender de sus procesos independentistas, los cubanos siempre fuimos, desde los inicios de la colonización española en América, los que teníamos más conciencia de la presencia y evolución de esos pueblos hermanos. No fue casual que Cuba produjera en José Martí al intelectual más capaz para asumir la totalidad de los países latinoamericanos como un sólo ámbito cultural y espiritual que hermanaba sus destinos. Y en esa misma dirección es que el sistema educativo de la Cuba republicana iba formando a las sucesivas generaciones de cubanos. Por esto ha dolido tanto la insensibilidad, la neutralidad y hasta la hostilidad, con que muchos partidos, gobiernos y países del área han visto la lucha de los demócratas cubanos.

Especialmente mercenarias son las razones de algunos países próximos que ya se beneficiaron económicamente por el giro político del castrismo hacía la órbita comunista, y ahora no desean la liberación de Cuba para evitar una competencia económica. Y ni decir de aquellos que aceptan ir a Cuba para beneficiarse con un *apartheid* que les permite hacer inversiones o recibir servicios que están vedados para los nacionales.

Pero hay todavía quienes no reconocen razones morales ni de justicia, y se creen asistidos del derecho a una neutralidad total frente a cualquier crisis social, situación política o sufrimiento humano que no les reporte beneficios. Para ellos la solidaridad humana es una inmadurez, y sólo se alegran de pertenecer al género humano porque eso les aporta consumidores, que a su vez les permiten la obtención de beneficios. Su virtud cardinal es el oportunismo sin responsabilidades. Sus destinos están regidos por las bolsas de valores, y sus aciertos financieros le permiten comprobar su superioridad. Ellos opinan que hasta el desarrollo humano en estos tiempos de globalización reconoce su jerarquía suprema, eliminándoles los estorbos nacionalistas, y entregándoles la llave del mundo. También se extrañan de que a alguien se le pueda ocurrir la insensatez de que tienen deberes, o que sería humano renunciar a muchas de sus decisiones egoístas. La abandonada Cuba ahora se ha convertido en territorio de rivalidad financiera por los oportunistas de todo el mundo. Muchos de esta especie ahora se han abalanzado sobre Cuba para aprovechar una mano de obra barata, porque el gobierno impide los conflictos laborales, para estar ya fundados en el país y para controlar el mercado cuando otros produzcan la libertad. Y en las contradicciones que van apareciendo entre los intereses capitalistas, Castro va encontrando las rendijas de su supervivencia. Mientras tanto, esos muchos que explotan la oportunidad, no sienten que vayan a tener problemas porque sólo son neutrales, y si Castro no les paga, ya vendrá otro gobierno detrás al que pasarle la cuenta.

LA CRISIS ESPERADA

Hace 45 años que los opositores de la isla y del exilio, mantienen una lucha desigual para lograr el derrocamiento del régimen totalitario. Es admirable la constancia de su empeño, pero hasta el momento no han podido crearle la crisis definitiva al régimen castrista. Aunque no debe descartarse el que en cualquier momento puedan lograrlo.

Pero hay otra crisis, más concreta e inevitable, que se cierne sobre los despojos de la Revolución Cubana. No se trata de una operación clandestina, sino de una condición de la vida. Nos referimos al fallecimiento del epónimo de dicho proceso, que sin duda será la mayor de las crisis, porque se trata de la desaparición de aquel que está en el centro de todo, el que todo lo define, decide y dirige, y a quien todos temen. Lo creemos así, porque es la ley natural que la desaparición del centro de un sistema orbital, tiene necesariamente que estremecer y dislocar el conjunto en una escala inimaginable. Pero ya hay evidencia de que el *inner circle* se preocupa por este asunto.

Como el capitalista, que ha hecho una fortuna y hace testamento para que ésta permanezca en manos de sus herederos, así los personeros del círculo dirigente del régimen, que han acumulado privilegios, riquezas personales y poder político, se resisten a devolvérselos a una democracia. Para todos ellos es de suma importancia la continuación del orden actual que mantenga sus beneficios, el disfrute del poder y hasta el homenaje histórico. Por el ejemplo de los países liberados en la Europa del Este, se puede comprobar con curiosidad las habilidades con que el *inner circle* sabe maniobrar en los momentos finales del totalitarismo. En ese momento, los comunistas jurados para la más sacrificada defensa del proletariado, son capaces de dar unos saltos acrobáticos formidables para que no se les escape el trapecio capitalista que les permita mantenerse en las alturas. Nunca se plantean continuar la lucha por el proletariado desde la nueva situación, sino que optan por pasar directamente de la extrema izquierda a la extrema derecha, y sin avergonzarse de la inconsecuencia.

En el caso cubano el círculo dirigente de poder, lógicamente, ha decidido que sus mejores intereses están en una continuación del régimen establecido, por lo que han decidido adelantarse a esta crisis mayor con una temprana manipulación de la opinión pública. Máxime cuando la numerosa oposición ha venido manifestando que el fallecimiento del líder podría desencadenar una *transición.* Por tal motivo el *inner circle* ha lanzado una campaña de promoción del sustituto previsto, Raúl Castro, revelando muchas virtudes suyas que hasta ahora nadie conocía. Casualmente, y según las nuevas revelaciones, este nuevo Raúl Castro resulta el hombre exacto que se necesita como relevo. Además, se dice que con él, hay más esperanzas de cambio porque es proclive a una apertura económica, que «quizás y con los años», pueda llegar a producir cambios políticos. Como habrá un cambio de rostro y es imprescindible identificar el hecho con un término que lo popularice, divulgue y haga familiar, han escogido el de una *sucesión.* Como es obvio ambos términos son mutuamente excluyentes, implican agendas políticas diametralmente opuestas y representan intereses inconciliables.

Empecemos por aclarar que un proceso de *transición* siempre será necesario con independencia de la forma en que se dé fin al totalitarismo cubano. Por ello hablar de *transición* no implica una limitación de los métodos a seguir para finalizar el mismo.

Además el planteamiento de una *transición* ha sido válido desde los primeros tiempos del poder totalitario en la isla, porque es la demanda de cambios políticos inmediatos y progresivos hacia una forma democrática de gobierno, aunque reconociendo que por la complejidad de los cambios a realizar, estos requerirán necesariamente de un tiempo de implantación y ajuste, que se exige debe ser mínimo. Este planteamiento es realista y lógico, y por ello está al margen de cualquier discrepancia.

Los partidarios de la *transición,* a fuerza de demócratas, no pueden excluir la improbable y casi absurda posibilidad, de que estos cambios puedan ser realizados por el propio régimen en aceptación del fracaso de su gestión. Pero hasta el momento actual esto sólo parece ser un fruto de la imaginación, sin una mínima probabilidad de ocurrencia. En realidad los partidarios de una *transición* quieren que esos cambios sean realizados y dirigidos por los demócratas, ya que son los confiables y seguros para conducir la nave con prontitud al verdadero puerto democrático. La *transición* que se demanda pues es la que debe ser acometida de inmediato y sin dilaciones, y que no requiere esperar por ningún acontecimiento de la isla.

Por su parte la *sucesión* es lo que el término define y no necesita la explicación de que es un continuismo del régimen actual. Está claro que el fallecimiento del que rige siempre será cubierto por un sustituto, pero eso es tan lógico que no amerita hacerle campaña ni ponerle nombre. El querer establecerlo como una etapa es conspirar contra el cambio que se necesita y desea. Pero todavía se aclaran más las intenciones cuando se especifica que el programa de la *sucesión* es la realización de reformas económicas, pasando por alto que son las reformas políticas las que se necesitan de inmediato para resolver los enormes problemas del país, y poder transitar hacia una democracia. Porque si sólo se decide hacer reformas económicas por la deplorable condición económica del país y para la subsistencia del régimen, ¿qué garantía puede haber de cambios democráticos cuando se hayan resuelto los problemas económicos?. La única sustitución que puede merecer atención vigilante es la que se inicie con un pronunciamiento de intención democrática, claro e inobjetable, seguido por acciones de indubitable tránsito hacia un sistema democrático de gobierno. Entre cuyas medidas estaría la liberación de todos los prisioneros políticos del país, el reconocimiento de la oposición interna y externa, el restablecimiento de la libertad de expresión con acceso a los medios informativos, la libertad de asociación, la libertad de enseñanza, la libertad de ejercer actividades económicas privadas y el levantamiento de todas las medidas excluyentes con que se grava a los cubanos en el exilio. Porque una sustitución con estas características ya no sería la *sucesión* que se intenta, sino que habría pasado a ser el inicio de la *transición* que se está reclamando.

Pero lo cierto es que en ausencia de otros acontecimientos que precipiten la *transición* con antelación, el fallecimiento del epónimo ofrece una posibilidad muy real que los cubanos no deben desaprovechar para la recuperación de su libertad y sus derechos.

Durante sus 45 años de lucha ininterrumpida los demócratas cubanos han desarrollado todo tipo de relaciones internacionales en busca de apoyo para la libertad de su país. Nunca antes la realidad dentro de la isla y la opinión internacional han estado tan favorables para ese restablecimiento democrático. Hace falta pues que todos tengan reactivadas sus relaciones para aprovechar cualquier coyuntura de cambio, que como ya hemos dicho, no tiene por qué esperar al fallecimiento del tirano.

COORDENADAS PARA LA DEMOCRATIZACIÓN DEL PAÍS

Hay que tener en cuenta que la democracia es un sistema de gobierno que supone la buena disposición y disciplina de todos los ciudadanos hacia los preceptos constitucionales, y que ellos, de por sí, no la protegen para detener a quien llegue a subvertirla por una vía violenta, irregular o demagógica. El único recurso de la democracia, para ser estable y duradera, es que sea capaz de mantener una ciudadanía que se sienta escuchada, respetada y satisfecha de lo que ella le ofrece, para que sea inmune a accidentes políticos tan graves como el totalitarismo. Esto es lo que José Martí resumió magistralmente en su frase de *«con todos y para todos»*.

Para realizar una transición política en Cuba es importante establecer cual es la meta a la que se quiere llegar. En el caso cubano esto no parece ser un problema, porque todos los que desean la transición dan la respuesta inmediata de que se debe trabajar para instaurar la *democracia*.

Pero aunque esta respuesta parece definir la cuestión, no es así. La *democracia* es sólo un término abstracto que acepta ser institucionalizada en formas diversas. No hay más que mirar las diferencias, que sólo en Europa, existen entre las *democracias* europeas.

Otro aspecto a tener en cuenta sobre la *democracia* que queremos implantar en Cuba, es que no debe ser copia de ningún modelo, aunque éste ya haya sido exitoso en otro país. Esto ya lo anotaba José Martí, hace más de un siglo, cuando en el siglo XIX y refiriéndose a las débiles *democracias* de las repúblicas de «nuestra América», les criticaba que en vez de crearlas a su medida, las habían copiado.

Y el más complejo de los aspectos a contemplar, es que para el 70% de los cubanos de la isla, la *democracia* es una palabra misteriosa, porque nunca han vivido en ella. Y esto significa que el camino de lograrla debe de ser arduo y trabajoso.

Estos tres aspectos se combinan con otro asunto ineludible, y es el de ¿quién decidirá la institucionalización de nuestra *democracia*?. Y creemos que la respuesta inmediata debe ser que los encargados de decidirla son aquellos que vayan a llenarla de vida y a vivir bajo su régimen. Lo que quiere decir que son los cubanos de la isla y los exilados que decidan regresar a su patria.

MIAMI, 6 de Febrero del 2,005.

BIBLIOGRAFÍA

Archipiélago Gulag (1918-1956), Alexander Solzhenitsyn, Tusquets, Barcelona, 1998.

Before Stalinism, Sam Farber, Cambridge Polity Press, 1990.

Camino de servidumbre, Friedrich A. Hayek, Alianza Editorial, Madrid, 2000.

Cuba: mito y realidad, Juan Clark, Saeta de Ediciones, Miami, 1992.

Cuba, cronología de la pelea contra el totalitarismo, Pedro Corzo, Universidad de Miami, Miami, 2004.

El libro negro del comunismo, Stéphane Courtois y otros, Planeta, Barcelona, 1998.

El terror bajo Lenin, Jacques Baynac, Tusquetsm, Barcelona, 1978.

La nueva historia de la República de Cuba, Herminio Potell Vila, Moderna Poesía, Miami, 1986.

Los orígenes del talitarismo, Hannah Arendt, Taurus, Madrid, 1951.

Otros libros publicados por Ediciones Universal en la
COLECCIÓN CUBA Y SUS JUECES